인지행동치료(CBT)를 위한 창의적 접근법

인지행동치료(CBT)를 위한 창의적 접근법

CBT 과정에서의 단계별 미술 활동

1판 1쇄 인쇄 | 2023년 1월 5일
1판 1쇄 발행 | 2023년 1월 16일

지 은 이 Patricia Sherwood
옮 긴 이 이현지
발 행 인 장주연
출 판 기 획 임경수
책 임 편 집 강미연
편집디자인 최정미
표지디자인 김재욱
제 작 담 당 이순호
발 행 처 군자출판사(주)
등록 제 4-139호(1991. 6. 24)
본사 (10881) 파주출판단지 경기도 파주시 회동길 338(서패동 474-1)
전화 (031) 943-1888 팩스 (031) 955-9545
홈페이지 | www.koonja.co.kr

ISBN 979-11-5955-949-5
정가 15,000원

COGNITIVE BEHAVIORAL THERAPY

인지행동치료

CBT를 위한 창의적 접근법

CBT 과정에서의 단계별 미술 활동

creative

Approaches to CBT

Art Activities for Every Stage of the CBT Process

Patricia Sherwood

옮긴이 이현지

군자출판사

정신 건강 분야에서 일하는 임상심리사들의 이 모든 도전과 보람은 내담자가 새로운 표현 방법을 찾는 데 영감이 될 것이며, 정신건강을 다시 회복하는 길목에 서서 그들의 경험을 변화시킬 것입니다.

특히 정신 건강 종사자들에게 자신의 상담과 임상에 창의적인 치료법을 통합시킬 새로운 기회를 주고, 이 책의 집필에 영감을 준 고마티(Gomathi)의 안목, 노력과 끈기에 깊이 감사드립니다.

역자 서문

이제껏 인지행동치료(CBT) 과정에서 미술은 보조적이고 부수적인 역할에만 머물러 있었으나 심층적으로 내담자의 문제를 파고들기 위해서는 미술 매체를 통한 창의적인 방식으로 접근할 필요가 있다는 패트리샤 셔우드 박사의 날카로운 지적은 이 책의 번역에 대한 동기 부여가 되었다. CBT는 내담자가 부정적인 사고를 줄이고 더 적응적으로 사고할 수 있게 돕는 행동 치료기법이다. 사고는 감정과 행동에 영향을 주고, 행동은 사고와 감정을 변화시키며 순환 관계를 이룬다. 그러나 내담자의 분노, 우울, 공포 등을 '시각화'하지 않는 언어 위주의 CBT는 거리를 두고 자신을 바라보는 것을 어렵게 한다. 특히 아이들은 자기에게 일어난 상황을 제대로 인지하지 못하거나 자신의 진술로 인해 부모나 관련 인물이 피해를 볼지도 모른다는 두려움을 가질 수 있어 언어적 접근에 한계를 지닌다. 이럴 때 미술은 수많은 이야기를 꺼내줄 수 있다.

미술은 작품을 바라보는 것만으로 마음이 안정되고 작업에 창의적으로 몰입하는 과정만으로도 치료적 효과가 있지만, 내담자의 문제를 더 정확하게 분석하고 개입하기 위해서는 적정 시기에 적합한 매체와 기법의 선택이 있어야 하고, 궁극적으로 내담자의 통찰이 일어날 수 있어야 한다. 역자가 이 책을 번역하면서 알게 된 기법을 실제 임상에 적용했을 때 내담자가 주 호소 문제에 안전하게 접근하고 비교적 단기간 내에 자기수용과 인식이 일어나는 것을 볼 수 있었다. 가령, 이완이나 감정 표출을 위해 많이 선택되는 점토가 CBT 시퀀스에 따라 진행될 경우 문제를 순차적으로 해결하고 정립해나가는 도구가 되었다. 특히 억눌린 분노, 자해, 극심한 우울 등 응급 상황과 관련한 CBT 시퀀스는 문제 탐색의 시간을 줄이고 치료의 시간에 할애할 수 있는 효과적인 장치가 된다.

트라우마가 몸, 뇌, 마음으로 연결되듯이 단면적인 접근만으로는 하나의 현상을 해결하기 어렵다. 문제가 발생하는 지점을 몸으로 느끼고 동작을 취해보고 그것을 이미지나 모양으로 만들고 해석하고 왜곡된 지점을 인식하고 재명명하는 일련의 과정은 미술을 통한 원형적 상징과 이미지의 힘으로 발현된다. 인지행동치료에서 변곡점을 찾기 위해 미술치료와 드라마 치료기법 등을 녹여낸 이 책은 상담, 교육, 전인적 치료, 행동 치료, 불교 심리치료, 미술치료 등 다양한 분야를 30년간 연구해 온 패트리샤 셔우드 박사의 독창성과 전문성이 담겨 있다. 이는 미술 매체에 거부감이 없고 창의성을 선호하는 내담자, 언어표현에 두려움을 지닌 아동 청소년, 미술치료사에게 매우 유용한 길잡이가 되어줄 것이다.

본문에 나오는 '모음'과 '자음'은 알파벳을 기준으로 제시되었기에 원어를 그대로 표기하였으나, 한국의 치료상황에서는 한글의 모음과 자음으로 적용할 수 있다. 모음은 'ㅏㅑㅓㅕ' 등 소리를 낼 때 장해가 되지 않는 울림소리에 해당하며 자음은 'ㄱㄴㄷㄹ' 등 발음 기관에 의해 장해가 되는 소리다. 여기서 자음은 '기억', '니은'이 아닌 '그', '느', '드', '르' 등으로 발음하되 공기가 막히는 소리인 점을 참고하도록 한다. 문장 내 '동작'과 '제스처'에서, 'movement'는 동작으로, 'gesture'는 제스처, 몸짓 등 문장 내 뉘앙스에 따라 다르게 표기하였다.

한 권의 책에는 씨실과 날실처럼 얽힌 열정과 땀이 있음을 번역을 거듭할수록 체감하게 된다. 몇 번의 수정과 감수에도 불구하고 부족함이 있다면 그것은 오롯이 역자의 몫이다. 학계와 대중을 위해 의미 있는 책을 발굴하는 임경수 과장님과 김수진 편집자님, 책의 얼개를 위해 애써주신 강미연 편집자님과 보이지 않는 곳에서 늘 애써 주시는 군자출판사 관계자분들께 감사의 말씀을 전한다.

2022년 12월

이현지

차례

1

인지행동치료(CBT)에 대한 창의적 접근법 소개

인지행동치료(Cognitive Behavioural Therapy, 이하 CBT)는 통제되고, 지시되고, 합리적이고, 논리적이고, 검증 가능한 개입이라는 강점이 있으며, 근거기반연구를 가능케 한다. CBT가 적용된 언어적 전략에 관한 자료는 많지만, CBT의 원리가 잘 어우러진 창의적이고 비언어적인 전략에 관한 자료는 많지 않다. Gray (2015)는 CBT에 대한 창의적인 미술 기반 접근법의 발전 가능성에 주목한 바 있다. 그의 제안을 발전시킨 이 연구는 혁신적인 창의적 접근법들을 상세히 설명하고, 그것들이 사회기술훈련, 시각화, 인지재구조화, 둔감화, 강화와 재발 방지와 같은 CBT 개론에 어떻게 들어맞고 어떻게 활용될 수 있는지를 명확하게 밝혀내고 있다. 이러한 접근법들은 내담자가 CBT 모델 내에서 필요로 하는 능력과 행동적 결과를 얻을 수 있게 언어적 전략을 보완해 준다.

지금까지 인지행동치료사가 적용한 창의적 치료법은 지엽적으로 사용됐다. 아동용 그림 색칠하기나 노인 내담자를 위해 미리 세팅된 만다라(Cunningham 2010; McNeil 2011)가 그러한 예가 되며, 이런 작업이 내담자를 이완시키거나 더 편안한 치료 분위기를 조성한다고 여겨져 왔다. 그림 목록이나 변화 과정의 도표처럼 사용되는 다른 미술실습은 때로는 너무 피상적이고, 때로는 특별히 창의적이지도 않고 오히려 더 형식적이기까지 하다. 이러한 실습들은 대개 내담자가 종이를 채우거나 색칠할 수 있는 미술 형태의 워크시트로 구성되어 있다. 『CBT 미술 활동을 위한 책(*The CBT Art Activity Book*)』(Guest 2016)은 로웬스타인(Lowenstein)의 저서 『불안 아동을 위한 창의적인 CBT 개입방법(*Creative CBT Interventions for Children with Anxiety*)』(2016)과 마찬가지로 이런 식의 전형적인 접근법을 보여주고 있으며, CBT의 그러한 미술 활동에 분명한 역할이 있음에도 불구하고 막상 CBT 과정에서는 피상적인 보조역할에 머물 뿐이다. 그 미술 활동들은 신체감각 추적, 명확한 행동 변화를 위한 목표, 새로운 사회기술 확립을 위한 강화 인자와 반복의 활용, 인지 재구조화와 재명명과 같은 CBT의 세부적인 특성들을 핵심으로 하는 심층적인 중재기법은 아니다.

다양한 환경에서 서로 다른 내담자를 만나는 서로 다른 치료사들이 반복적으로 활용할 수 있도록 미술의 사전·사후 개입을 명확하게 정의한 자료는 그간 없었으며, 그 결과 CBT 치료모델에서 창의적인 치료법은 예전부터 중구난방식의 보조역할로만 남아 있었다.

이 책은 다음과 같은 다섯 가지 조건들을 특징으로 하여 CBT에서 꼭 필요한 혁신적이고 창의적인 치료적 접근법을 제시한다:

1. 이 실습이 CBT의 핵심 원리와 어떻게 연관되는지에 관한 명료한 이론적 논리
2. 실습이 갖는 명확한 행동 목표
3. 실습을 위한 구체적인 개요 및 단계별 지침
4. 다양한 치료 환경에 있는 다양한 내담자에게 반복적으로 적용 가능한 실습
5. 이 책에서 설명된 실습법은 내담자의 호흡 변화를 통해 관찰할 수 있는 명확한 사전·사후 개입방식을 주요 골자로 하며, 신체감각, 행동 변화, 강화, 반복, 이미지 제시, 행동 활성화 전략, 사회기술, 행동실험, 둔감화와 인지 재구조화 중 하나에 중점을 두어 CBT와 접목할 수 있다. 이러한 창의적인 과정은 특히 도전적인 내담자를 만났을 때, 또는 치료 과정에서 내담자의 참여와 변화를 촉진하기 위해 더 감각적인 방안을 탐색하는 치료사에게 확장된 도구가 되어줄 것이다.

CBT를 위한 이러한 창의적 접근법은 내담자의 행동, 신체감각, 생각과 감정을 통해 표현된 현재의 문제를 현재의 시점과 원인에서 살펴보므로, '지금 여기(here and now)'에 중점을 둔다(Ivey et al. 2002). 이 기법은 한번 숙달되고 나면 다양한 상황에 있는 다양한 내담자에게 반복 가능한 시퀀스를 제공할 수도 있다. 점토의 경우에는 분노의 시퀀스, 슬픔과 상실의 시퀀스, 당당하게 말하기 시퀀스, 죄책감에서 벗어나기 시퀀스가 있다. 대개 3단계에서 5단계로 반복 가능한 이 시퀀스들은 치료사가 진행할 수도 있으며, 때에 따라서는 치료 환경이 아닌 곳에서도 내담자가 반복하게끔 치료사가 알려줄 수 있다. 실례로, 슬픔과 상실의 회복과 같은 몇몇 치료 주제에는 3단계의 시퀀스가 있는데, 내담자는 수채화나 점토 중 자신이 선호하는 매체를 골라 3주 이상 반복작업을 한다. 이 반복작업을 매일 완수하는 것은 CBT의 핵심논리인 행동 변화의 강력한 예측요인이 된다. 또한, 내담자의 사고를 긍정적으로 변화시키는 과정뿐 아니라 신체 활동에 반영되는 과정도 강화하여 새로운 행동이 유지될 가능성을 높여준다. 이는 가장 최근의 신경언어학 연구에서 밝혀진 바 있다:

> 네덜란드 네이메헌에 있는 막스 플랑크 심리언어학 연구소(Max Planck Institute for Psycholinguistics)의 다니엘 카사산토(Daniel Casasanto)와 로테르담에 있는 에라스무스 대학의 카틴카 다익스트라(Katinka Dijkstra)는 체화된 인지, 즉 몸이 어떻게 정신의 활동을 만드는가를 연구했으며, 그들은 이미 우리의 사고가 신체의 모양과 형태에 어떻게 영향을 받는지도 발견했다…2007년에 다익스트라는 특정 경험과 연관된 자세를 취하는 것이 그 경험의 기억을 떠올리는 데 도움이 될 수 있다는 것을 밝혀냈다. 이러한 연구는 추상적인 개념의 구현화를 시사한다…(Mo 2010).

그림, 점토, 동작, 제스처, 호흡을 활용하든 드라마를 활용하든 이 책에 제시된 창의적 접근법은 새롭고 긍정적인 행동 변화를 반영하여 새로운 형태와 움직임으로 신체를 채워주고, 이를 규칙적으로 반복할 경우 새롭고 바람직한 행동을 경험하게 한다. 새로운 사회기술 모델링은 CBT 시퀀스에 대한 이러한 창의적 접근으로부터 영향을 받으며, 이것이 매일 반복되면 내담자의 삶에서 행동 및 인지적 변화가 촉진된다. CBT 과정의 핵심이라 할 수 있는 새로운 사회기술의 개발이 내담자가 원하는 행동 변화에 영향을 미치려면 치료 세션에서 알려주는 대로 지속적으로 반복해서 실천해야 한다. 이 책에 요약된 창의적 접근 방식은 내담자가 행동 변화를 연습하고 궁극적으로는 구현화할 수 있게끔 이상적이고, 구체적이고, 관찰이 가능하고, 실질적이고 흥미를 일으키는 매체를 제시하므로, 단지 내담자의 말이나 생각에만 그치지 않고 행동에서 명백하게 드러나도록 해준다.

선택한 예술 매체가 내담자에게 특정한 의미가 될 때, 매일 실습을 완수한다는 긍정적 보상은 결국 강화 인자가 원하는 행동 변화를 굳힌다는 점에서 행동 활성화 과정으로 이어진다. 생각을 행동으로, 말을 행동으로 옮기는 것은 특히 자원이 부족하고 내담자당 치료 세션 수가 한정된 오늘날의 임상 환경에서 많은 치료사가 처한 문제이기도 하다. 이러한 창의적인 시퀀스는 예술 매체를 통해 표현되는 행동 변화를 내담자가 규칙적이고 반복적으로 연습하여 체화할 기회를 제공한다. 또한, 많은 CBT 세션의 핵심이라 할 수 있는 인지 재구조화와 재명명을 강화하고, 시간이 흐르면서 부적응적인 혼잣말을 사라지게 하는 정확하고 집중적인 개입방식을 제공한다.

마지막으로, 이러한 창의적 시퀀스 중 일부는 트라우마에 대한 둔감화 과정, 특히 트라우마에 들어갔다가 나오는 내담자들에게 도움이 된다. 신체를 기반으로 하는 이 시퀀스들은 스트레스로 인해 움직임이 수축된 신체 부위를 감지하므로 몸을 통한 추적이 가능하다. 또한, 내담자에게 외상 경험에 대한 통제능력을 부여하므로 외상의 재경험을 서서히 멈추게 한다. 이 시퀀스들은 트라우마에 들어가서 재경험 후 다시 빠져나오는 명확한 단계를 제공하여, 신체경험을 통해 얻은 새로운 정보로 외상의 기억을 전환시켜준다. 따라서 이것은 일부 인지행동치료사들이 하는 노출 및 둔감화 치료를 강력하게 보완해준다.

다음 장에서는 CBT의 목표와 원칙을 수월하게 하고 기법의 다양성을 더해주는 여러 예술 매체들을 사용하여 치료사들의 목표 달성을 위한 명확한 치료 시퀀스를 설정하겠다.

2

진단 과정

소개

CBT 치료는 진단에 대한 확고한 방침을 갖고 언어적인 진단 과정의 심리검사를 발전시켜 왔다. 이 장에서 설명하는 창의적 진단 과정은 이러한 언어적 과정을 위한 하나의 보조도구로 제시되고 있다. 이는 특히 내성적이거나 말을 꺼리는 내담자들로부터 몇몇 유형의 정보를 얻어내는 감각적인 방법이 되며, 아동과 청소년에게도 유용하게 적용할 수 있다. 또한, 창의적인 매체를 활용하여 실습에 능동적으로 임하는 모든 내담자에게도 적용가능하다. 이 장에서는 진단적인 실습 사례를 위해, 미술치료에서 사용하는 드로잉과 점토 치료를 개괄적으로 소개하고자 한다.

색칠하기로 아동 진단하기

바디맵(BODY MAP) 시퀀스

어린아이의 경우, 아이의 관점에서 문제의 근원을 파악하기란 쉽지 않다. 급격하게 변화하는 이 시대에 아이들이 불안감을 보이는 것은 흔한 일이다. 일례로, 5세 아이가 등교에 대해 불안을 호소하지만, 그 불안의 원인까지는 설명할 수 없다. 그러나 아이를 직관적으로 탐색해 보면, 잠재된 불안 행동의 원인을 교실이나 운동장으로 좁힐 수 있게 된다. 비슷한 예로, 전 세계적으로 이혼이 증가하는 오늘날 아이들은 치료 과정에서 가정문제와 연관된 불안이나 스트레스를 호소하는 경우가 많은데, 두 부모는 문제의 원인이 모두 상대방에게 있다고 본다. 아이는 무엇이 불안감을 일으키는지 인식하지 못하거나 부모 중 한 명 또는 모두와 멀어질까봐 말을 꺼리게 된다.

바디 매핑은 문제의 원인을 직접적이고 명확하게 잡아낼 수 있는 매우 유용하고 창의적인 미술기반 도구로, 치료사는 더 명확하게 개입에 집중할 수 있다. 이는 대개 10세 미만의 아동에게 활용하기 좋다. 이 실습은 두 개의 다른 환경에서 내담자가 어떻게 불안을 경험하는지를 창의적으로 표현하게끔 한다.

매체

- 크레용 한 세트
- A4 또는 A3 용지 3장

방법

1단계: 아이에게 슬픔, 나쁨, 행복, 무서움, 화난 감정을 보여주는 색을 각각 선택하게 한다. 종이에는 아이가 선택한 색에 따른 감정을 각각 적어둔다. 아이가 아직 글을 읽지 못한다면, 각각의 감정표현을 위해 고른 색에 '웃는' 얼굴 등의 아이콘을 그려준다.

색상과 연계된 감정 차트

2단계: 감정이 우리 몸에 어떻게 저장되었다가 마음과 손에서 두려워하고, 발에서 슬퍼하고 머리에서 화가 날 수 있는지 아이에게 설명해준다.

3단계: A4 용지에 사람 모양의 진저브레드 윤곽선을 그려준 다음, 환경 A(예: 학교 운동장, 또는 드러나는 문제에 따라 부모 1의 집)에서 느끼는 자신의 감정을 색칠해 보게 한다. 아이에게 감정 차트와 연관된 색을 골라 사용하도록 알려준다.

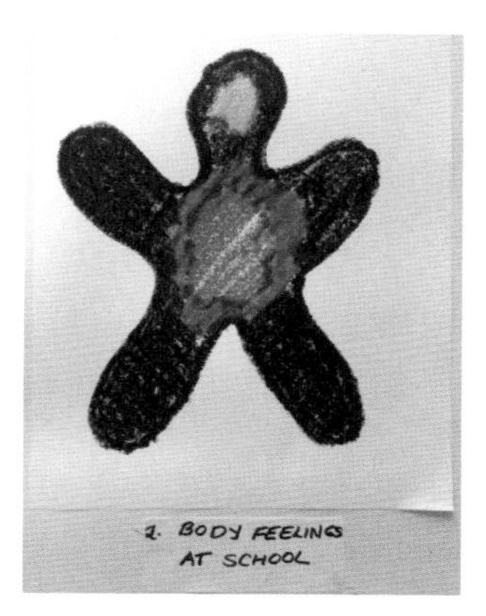

학교에서의 감정 바디맵

4단계: 그다음에 아이에게 사람 모양의 진저브레드 윤곽선이 그려진 두 번째 종이를 주고, 상황 B(예: 교실 또는 부모 2의 집)에서 느껴지는 감정을 모두 색칠해 보게 한다. 아이가 두 번째 종이에 색을 칠하는 동안 첫 번째 그림은 감춰둔다.

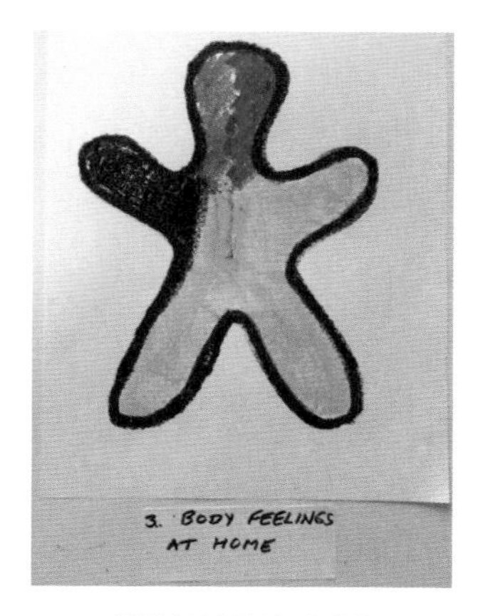

집에서의 감정 바디맵

5단계: 이제 두 장의 그림을 통해 아이의 몸이 상황 A에서 경험한 감정과 상황 B에서 경험한 감정을 비교할 수 있다. 이를 통해 치료사는 현재 드러나는 문제의 초점을 행동문제 또는 특정 환경으로 좁힐 수 있고, 이를 충분히 수행하여 행동상의 변화를 일으킬 수 있게 된다.

사례 연구

위 사례에서 5세 아이는 다양한 불안 행동을 보였지만, 문제의 원인이 무엇인지는 부모에게 전달할 수 없었다. 위의 바디맵은 학교가 불안의 원인이었을 가능성이 크다는 것을 보여주는 분명한 지표였다. 학교 환경에 대한 추가 조사를 통해 이 아이가 학교의 학습 상황을 감당하지 못하고 다른 아이들은 잘 수행하는 과제를 어려워하고, 학교 환경에 과도한 부담을 느껴 분명히 학교에 '안 좋은' 감정을 경험하고 있었다는 것이 밝혀졌다. 추가 검사를 통해 아이의 감각 처리에 문제가 있음이 드러났고, 이러한 문제를 해결했을 때 관련 행동은 줄어들었다. 감정 바디 맵핑은 10세 이하의 아동이 반응을 잘 보이는 중요한 미술치료 기법이다. 아이들은 슬픔, 분노, 외로움, 행복, 두려움, 수치심/나쁨의 감정에서 비롯되는 신체적인 감각을 매우 잘 인식하고, 그림을 통해 이러한 관계를 표현할 기회가 있으면 대부분은 매우 자발적으로 참여한다.

신체상의 감각과 특정 감정을 연결하는 신체 연구는 증가하고 있다. Bergland (2014)는 「미국국립과학원회보(*Proceedings of the National Academy of Sciences*)」의 '감정 바디맵(Bodily maps of emotions)'이라는 제목의 게재물을 통해 신체 상태와 정서적 반응을 명확하게 연결하는 최근 연구에 관해 보고했다. 이 비교 문화 연구에는 700명 이상이 참여했다. 1997년 캔디스 퍼트(Candice Pert)의 『감정의 분자(*Molecules of Emotion*)』를 시작으로, 아이들이 특히 잘 인식한다고 보는 몸과 마음의 연결고리에 관한 실험적 근거가 증가하고 있다. 심신의 연관성을 보여주는 생물의학, 생물생리학, 체질 치료 관련 연구도 늘어나고 있다.

호흡은 몸과 마음의 경험을 전달하는데, 이는 특히 제스처를 통해 관찰 가능하다. 하단에 제시된 점토를 활용한 창의적 실습법은 우리 몸에 저장된 감정적인 경험이 제스처에 어떻게 반영되는지를 보여준다. 이러한 점토 치료의 개입은 아동·청소년 및 감각적인 매체로 자신을 표현하는 것을 선호하는 성인 내담자의 진단 과정을 돕기 위해 고안되었다.

점토를 활용한 진단

원가족을 진단하는 시퀀스

이 실습은 내담자와 그 원가족 중 주요 구성원과의 관계를 심층적이고 경험적으로 서술하게끔 돕는다.

매체

- 가로 0.5 m, 세로 0.5 m 정도의 작업용 판자 1개
- 분무기
- 옹기토를 담을 수 있는 밀폐용 양동이
- 손을 닦을 수건
- 최소 2 kg가량의 점토
- 목제 나이프, 연필 또는 찰흙용 공구와 같이 점토를 자르거나 조각하기 위한 도구들

주의: 보석류, 특히 반지는 빼도록 한다.

방법

1단계: 내담자는 자신의 원가족 중 중요하다고 생각되는 가족 구성원의 수만큼 점토로 둥글게 만들어 본다. 내담자를 나타내는 점토도 둥글게 하나 더 만든다.

2단계: 내담자에게 과거 혹은 현재에 자신과 아버지와의 관계를 전형적으로 상징하는 경험이 무엇인지 떠올려 보게 한다. 여기에서 아버지는 생물학적인 아버지 또는 양아버지일 수도 있다. 아버지가 둘 이상이면 내담자는 각각의 아버지를 떠올려본다.

- 내담자는 물리적 환경 및 다른 어떤 실질적인 특징 등 아버지와의 경험을 상세히 떠올려본다.
- 내담자는 아버지에 대한 경험을 회상하면서 자신의 몸에서 감각이 가장 강하게 느껴지는 곳을 찾아본다.
- 그 신체 부위에서의 느낌을 양손으로 나타내본다. 매듭, 혹, 텅 비어 있는 느낌 혹은 다른 어떤 형태가 느껴지는가?
- 내담자는 점토 한 덩이를 꺼내어 자신이 느낀 아버지의 경험을 보여주는 제스처를 하나의 모양으로 만들어 본다.
- 작업이 완료되면 내담자는 자신의 작품을 돌아보면서 그때마다 떠오르는 감정을 적어본다.

3단계: 가족 중 소중한 구성원들과의 개별적인 경험이 점토 모델로 만들어질 때까지 이 정확한 시퀀스를 각각 반복한다. 그다음에는, 이 가족 구성원들을 볼 때 내담자가 어떻게 느끼는지를 제스처로 취하게 하고, 마지막 점토 덩어리를 꺼내 그들이 경험한 감정을 하나의 형태로 만들어 보게 한다.

4단계: 내담자가 모든 가족 구성원을 점토 모델로 완성하고 나면, 가족 체계 내에서 그들이 살아온 경험을 표현한 대로 그 점토 모델들을 서로의 관계성에 따라 배치해 보도록 한다. 이 묘사법은 치료사와 내담자 모두에게 가족 체계에 대한 새로운 통찰력과 알아차림의 기회를 준다.

아래 이미지는 한 젊은 여성이 완성한 것으로, 원가족을 진단하기 위한 점토 시퀀스 사례를 보여준다:

원가족 시퀀스

특히 가족 중 특정 인물의 형상과 내담자와의 배치를 주의해서 봐야 한다. 이 사례에서 'SISTER'는 내담자를 나타낸다. 이 매끄럽고 곧게 선 형상들은 이완되고 편안한 신체적 경험을 보여주는가? 혹은 위축되고 움푹하게 패이고 납작 눌린 조각들은 수축한 호흡과 신체적 스트레스에 대한 몸의 경험을 보여주는가?

해석: 점토 형상의 언어 해석하기

점토의 모양과 형태는 스트레스와 긴장이 몸에 어떻게 저장되고 몸에서 어떻게 방출되는지를 보여주는 세 가지 주요한 신체 제스처를 나타낸다. 이렇게 스트레스를 유발하는 요인들은 호흡의 수축과 제한을 통해 쌓이므로 내담자는 유연하게 이완된 방식으로 호흡하지 못한다. 몸안에서 호흡의 흐름을 나타내는 세 가지의 양극성으로는, 무거움과 가벼움, 위축과 확장, 웅크리기와 펴기가 있다. 이 양극성은 인간의 감정적이고 인지적인 경험이 담긴 제스처를 다음 그림과 같이 보여준다. 어떤 진단적인 결론을 내리기 위해서는 이 양극성을 꼭 이해할 필요가 있다. 세 가지 양극성에 대한 설명은 다음과 같다:

제스처에 반영된 호흡의 세 가지 양극성

무거움과 가벼움: 무거움은 우울, 절망 그리고 상황이나 책임의 무게에 짓눌리고 압도된 행동 상태를 반영한다. 이것은 삶의 근심에 사로잡혀 있는

내담자의 느낌이 들어간 것으로 건강한 상태가 아니다. 가벼움은 무거움과 강하게 대비되는 것으로, 에너지, 성취 및 행복의 제스처를 반영한다. 내담자가 가볍게 혹은 똑바로 선 몸짓으로 자신을 드러낼 때가 훨씬 더 건강한 상태다. 물론 극도로 가벼운 것은 조증을 반영하므로 무거움과 가벼움 사이의 중간 지점이 신체 행동과 호흡 감각의 균형성을 반영한다.

위축과 확장: 위축은 제한된 공간에서 팔짱을 끼고 다리를 꼬는 것으로 표현된다. 이 몸짓은 다른 사람과의 친밀감이나 속세로부터 거리를 두는 것을 나타낸다. 숨을 쉴 수 있는 공간과 내담자를 위한 공간이 거의 없는 위축된 제스처는 능력 발휘가 힘든 경계와 불충분한 사적 공간을 나타낸다. 이와 반대로 확장은 팔을 벌린 채 기쁨과 행복과 삶의 파도를 더 넓게 만드는 것으로, 안아주고 환영해주는 따스한 제스처를 반영한다. 이는 '나는 나 자신이 될 수 있다.'라는 몸짓이다. 여기에는 나라는 존재를 축하해주고 내 삶을 나눌 수 있는 여유가 있다. 억제되지 않고 자유롭게 호흡하며 세상에 대한 자신감이 있다.

웅크리기와 펴기: 웅크리기는 살면서 서서히 침잠한 텅 빈 감각 상태를 반영한다. 내담자는 얕고 제한된 호흡과 공허함으로 살아왔다. 이는 낮은 자존감을 보여준다. 펴기는 취약함을 자신 있게 드러내고 자신이 누구인지를 세상에 자유롭게 드러내는 완전한 노출 상태를 보여준다. 내담자의 호흡이 커지면서 한계를 넘어서게 되는데 거기에는 유쾌함과 자기 만족감이 있다.

이런 모든 원형적(archetypal) 형태는 점토 조각과 결합하여 고통이나 기쁨, 승리나 패배, 자기-성장감 또는 자기 공간의 상실처럼 특정한 신체적·감정적 경험을 포착해 낸다. 이렇게 표현된 점토 조각은 내담자의 행동과 정서 상태를 관통하는 시각적 묘사를 예리하고 강렬하게 보여주는데, 이는 내담자가 만든 신체 모양을 통해 관찰된다. 이것이 점토 치료의 핵심이다. 점토는 내면의 인지적이고 감정적인 경험을 가시화하고, 몸짓의 표현으로 드러난 것을 알아차리게 하고 직접 만져서 알게끔 한다(Sherwood 2004).

공감력을 진단하기 위한 점토 시퀀스

이 실습은 신중하고 공감적인 경청 능력을 발달시키고, 다른 사람의 감정과 자신의 감정을 분리할 수 있게 하므로 내담자의 공감력을 파악하는 데 도움이 될 것이다.

매체

- 가로 0.5 m, 세로 0.5 m 정도의 작업용 판자 2개
- 분무기
- 옹기토를 담을 수 있는 밀폐용 양동이
- 손을 닦을 수건
- 손바닥만 한 둥근 모양의 점토 3개를 참여자별로 준비
- 점토를 자르거나 조각하는 도구

주의: 보석류, 특히 반지는 빼도록 한다.

방법

갈등 상황에 있거나 의사소통에 어려움을 겪는 두 명이 서로 얼굴을 마주 보고 앉는다. 갈등 지점이나 불화에 대해 합의한다. 한 명이 먼저 이야기를 들려주는 역할, 즉 화자(話者)가 되고, 다른 한 명은 그 이야기를 듣는 역할, 즉 청자(聽者)가 된다. 청자는 이 실습을 통해 자신의 공감력을 확인하게 된다.

1단계: 청자는 화자가 상세히 들려주는 이야기의 전반적인 감정을 점토로 형상화한다.

- 화자는 둘 사이에 생긴 일에 대해 5분간 이야기한다.
- 청자는 그 이야기에 대한 전반적인 감정을 느껴본다.
- 화자가 이야기를 마치면, 청자는 둥근 모양의 점토를 하나 고른 후 자신이 처음 그 이야기를 들었을 때 느낀 즉각적인 반응을 점토로 만들어 본다.

2단계: 화자의 감정을 점토로 형상화한다.

- 화자는 둘 사이에 생긴 일에 대해 5분간 다시 이야기한다.
- 청자는 그 이야기를 하는 화자의 감정에 귀 기울인다.
- 화자가 이야기를 마치면, 청자는 둥근 모양의 점토를 하나 고른 후 화자의 감정을 점토로 형상화한다(이 작업에는 청자의 공감력이 반영된다).

3단계: 화자의 이야기에 대한 청자의 반응을 점토로 형상화한다.

- 화자는 둘 사이에 생긴 일에 대해 5분간 세 번째로 이야기한다.
- 청자는 그 이야기에 대한 자신만의 감정에 귀 기울인다.
- 화자가 이야기를 마치면, 청자는 둥근 모양의 점토를 하나 고른 후 그 이야기에 대한 자신만의 감정을 점토로 형상화한다.

해석

세 점의 작품이 모두 완성되고 나면, 상담자는 화자에게 어떤 작품이 그들이 들려준 이야기에 대한 감정과 가장 닮았는지를 묻는다. 만약 화자가 두 번째 작품을 고르면, 이는 청자가 다른 사람의 감정에 몰입할 수 있고, 뛰어난 수준의 신중한 공감력을 지녔음을 의미한다. 만약 화자가 첫 번째 작품을 고르면, 이는 청자가 다른 사람의 감정을 즉각적으로 감지하는 경향이 있고 과하게 공감할 수 있다는 것을 보여준다. 만약 화자가 마지막 작품을 고르면, 이는 청자가 다른 사람의 감정을 정확하게 느끼거나 자신의 감정과 구분하는 데 어려움을 겪는다는 것을 의미한다.

이제 위에서 소개한 실습을 계속 진행하되, 역할을 바꿔본다. 청자가 자신의 이야기를 하는 화자가 되고, 전에 화자였던 사람이 이제 청자가 되어 이야기에 관한 그들의 반응을 점토로 세 번 작업해본다.

사례 연구

이 사례에 표현된 시퀀스는 사회생활을 두고 갈등을 겪던 젊은 커플에 의해 완성되었다. 화자는 그의 파트너가 다른 사람들과 너무 많은 시간을 보내며 어울린다고 느꼈다. 이 실습의 목적은 소통이 안 되는 커플이 서로의 감정을 공감하게끔 돕는 것이었다. 화자는 그 상황에서 자신이 느낀 슬픔에 관해 이야기했고, 그의 파트너인 청자는 점토로 반응작업을 했다. 그의 경험에 대한 전반적인 감정을 표현해 보라고 요청했을 때, 그녀는 첫 번째 작품으로 상심을 표현했다. 그가 같은 경험을 다시 말한 후, 그녀는 그의 감정을 보여주는 작품을 만들어 볼 것을 요청받았는데, 그것은 울고 있는 눈이었다. 그가 세 번째로 자신의 경험을 다시 이야기하고 나서, 그녀는 자신의 감정을 점토로 만들어 볼 것을 요청받았는데, 이는 날개를 편 채 하늘을 날며 자유를 갈망하는 천사로 표현되었다. 이 세 점의 작품은 다음과 같다:

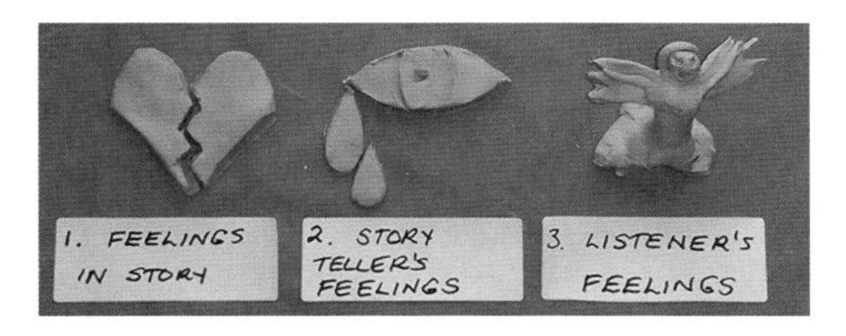

공감력 발달을 위한 실습

화자는 자신의 감정을 가장 정확하게 표현한 작품으로 첫 번째 형상을 꼽았는데, 이는 화자의 상태에 대한 청자의 첫 반응이 매우, 지나치게 공감적임을 보여준다. 화자는 자신의 감정을 반영하는 것으로 두 번째 작품을 고르기도 했는데, 이는 청자가 다른 사람의 경험에 대해 뛰어난 공감력을 지녔음을 보여준다. 화자는 마지막 작품이 자신의 주요한 감정을 담지 않았다고 보았는데, 그 이유는 작품에 화자의 감정이 아닌 청자의 감정이 반영되었기 때문이다. 본 사례를 통해 청자인 그녀가 다른 사람과 자신의 감정을 구분할 수 있다는 것을 알 수 있다.

서로의 역할을 맞바꿈으로써, 청자는 화자가 되고 화자는 청자가 된다.

이 사례 이미지는 넣지 않았으나 위에서 설명한 시퀀스 단계와 동일하다.

가장 중요한 것은 그녀가 다른 사람과 자주 어울렸을 때 그가 느낀 상실감의 깊이를 알 수 있게 되면서 두 사람 간에 소통의 문이 열리기 시작했고, 다른 사람에게 통제당하지 않고 한창 젊은 시기에 자유롭기를 바라는 그녀의 욕구를 그가 이해하게 되었다는 것이다.

반영 및 논의

점토라는 매체는 사람의 마음을 매우 가시적인 방법으로 정확하게 인지하게 하는 아주 구체적인 이미지를 만들어 낸다. 두 명의 내담자가 함께 실습에 참여할 때는, 서로의 감정을 이해하는 과정에서 불화가 생기는 핵심 문제에 초점을 맞추는 게 좋다. 실습을 완료하는 데는 보통 1시간이 소요된다. 만약 점토 실습에서 한 사람이 다른 사람의 감정을 파악하는 것이 유난히 어렵다면, 청자가 화자의 경험에 대해 점토 형상으로 더 정확하게 반응할 수 있을 때까지 다른 사람과 함께 다른 문제로 이 실습을 반복할 수도 있다. 그래서 이 실습은 내담자의 공감력을 향상한다.

이는 내담자가 정확하게 공감하는지, 과하게 공감하는지 또는 공감 능력에 한계가 있는지에 대한 명확한 지표가 되어 준다. 또한, 내담자의 공감 능력을 발전시키기 위한 연습이 필요할 때 하나의 진단 도구가 되어 주기도 한다.

결론

이 장에서 소개한 창의적인 실습법은 치료상에서 보이는 특정 행동 진단을 용이하게 하는 보조 진단 도구의 사례를 두 가지 다른 매체를 통해 제시하였고, CBT 진단을 위한 창의적 접근법을 제공하였다.

3

자기조절과 이완

소개

Bell (2016)은 자기조절을 '자신에 의한 [자신의] 통제'로 정의한다. 자기조절이란 불화, 혼란, 불협화음, 불안정과 맞닥뜨렸을 때 균형 회복에 필요한 조처를 하는 체계를 말한다. 이는 자기 자신이 방해받고 있다는 것을 알아차리고 균형감각, 조화와 웰빙을 회복하기 위해 적절히 조처하는 것을 의미한다. 신체 심리치료(somatic psychotherapy)에서 자기조절이란, 자신과 자신을 둘러싼 환경에 영향을 미치는 지속적인 변화와 도전에 맞서 균형 상태를 회복할 수 있는 인간의 복합적 능력을 일컫는다. 감정적으로 자기조절이 잘 되는 사람은 자기 안의 촉발 요인을 파악하고, 자신의 마음과 몸에 있는 감정의 초기 경고 신호를 정확하게 읽어 낸다. 그들의 사고 안에는 자신이나 주변 인물에 악영향을 끼치지 않도록 자기감정과 인지를 조절하는 능숙한 옵션들을 만들 수 있는 여유롭고 전략적인 깊이가 있다. 그들은 충동적이고 즉각적인 행동을 견뎌내고 자신을 진정시킬 수 있으며 높은 수준의 회복 탄력성을 보인다. 그들은 다양한 상황과 그들을 둘러싼 환경의 요구와 양립하는 예측 불가능한 변화에 대해 감정적·행동적으로 유연하게 대처한다. 사람들은 새로운 기술의 습득, 자기 인식의 발전, 새로운 행동 모델링을 통해, 감정적인 자기조절력을 점진적으로 향상할 수 있다. Perry(저자: 연도 표기 없음)는 신체 기반 치료가 자기조절에 기여한 바를 다음과 같이 설명한다:

> 신체 기반 심리치료의 근본적인 목표는 건강한 자기조절, 회복력, 그리고 지금 현재에 온전히 존재할 수 있는 능력을 회복하는 것이다. 신체라는 도

구를 치료에 통합함으로써, 사람의 몸과 신경계에 '존재하고 있는' 증상에 직접 관여하는 게 가능해진다. 자기조절력을 회복하려는 이러한 노력은, 시간이 지나면서 그 사람이 여느 때보다 더 강하고 더 회복 탄력적인 삶을 살아갈 수 있게 한다.

이번 장에서는 창의적 치료법 중에서 아동과 청소년을 포함한 내담자의 자기조절을 돕는 실습들을 선별하여 소개하도록 하겠다.

그라운딩(GROUNDING)

몸 전체의 호흡 되찾기

위축되고 제한된 호흡은 몸안의 스트레스를 관찰할 수 있는 지표가 되며, 동작, 특히 불안 상태와 우울증과 같은 정서 장애의 범주뿐 아니라 몸으로 경험되는 정서적인 폭발과 스트레스에서 나타난다. 행복하고 만족스러운 상태의 호흡은 자유로운 흐름으로 관찰되며 느긋함, 평정, 가벼움이 동작에 반영된다. 완전히 똑바로 선 자세로 호흡할 때 자기조절이 더 수월해지고, 호흡이 수축되면 자기조절이 훨씬 더 어려워진다. 자신의 감정을 스스로 조절하기 위해서는 마음챙김, 또는 지금 현재와 환경의 변수들을 충분히 알아차릴 필요가 있다. 이렇게 마음챙김의 시간을 가지면 행동의 옵션들을 검토하게 되고 문제가 되는 내적 대화는 배제하는 전략적인 내공이 생긴다. 몸안으로 숨을 충분히 불어 넣는다는 개념인 '그라운딩(Grounding)'은 Lowen (1976)이 그의 생물 에너지학 연구에서 개발한 용어였다.

그라운딩은 내담자가 두 발을 땅에 단단히 디디고 몸의 이완을 돕는 다양한 신체 동작에 초점을 맞추어 움직이면서 내담자가 자신의 몸안으로 숨을 충분히 불어넣을 수 있도록 하는 훈련 과정이다. 로웬(Lowen)은 성공적인 치료를 위해 내담자가 다시 자기 몸과 더 충분히 연결될 필요가 있고, 자신과 타인과의 단절은 자기 몸을 소원하게 하는 데서 출발한다고 보았다. 모든 무력감, 두려움, 우울증과 불안에 뿌리내린 분열된 마음 상태나 감정 상태로 살아가기보다는 자기가 자기 몸의 주인이 되어야 자신과 타인 그리고 세상과 교감할 수 있게 된다는 것이다.

그라운딩이 되어 있지 않은지 또는 신체가 온전히 현재에 머물고 있는지 확인하기

그라운딩이 되어 있지 않거나 현재에 머물고 있지 않은 사람은 시간낭비할 필요없이 치료사의 확인을 거쳐 내담자가 세션 안에서 최대한 터득할 수 있게 명료화할 필요가 있다. 이러한 증상에는 '몽상' 또는 산만한 생각으로 집중력이 떨어지는 현상 등이 있다. 그라운딩이 되어 있다고 느껴지지 않으면 표정에 생기가 없거나 눈에 초점이 없고, 안절부절못하고, 발을 두드리거나, 몸 일부를 떠는 등 표정과 몸짓에 종종 영향을 준다. 그라운딩이 되어 있지 않거나 현재에 머물지 않는 내담자는 그들의 실제 감정과 어떤 현실과도 접촉하지 않으므로, 과하게, 때로는 빠르게 말하고, 같은 것을 계속 반복적으로 말하면서 자신을 위장할 수 있다. 심지어 그런 내담자는 대답을 제대로 하면서도 현재에 머물러 있지 않거나 듣고 있지 않다는 느낌을 강하게 준다. 비유하자면, '집에 등은 켜져 있는데 아무도 없다.'라고 설명될 수 있다.

현재에 머물지 않는 사람은 현재 자신에게 일어나는 일을 상세히 기억하지 못할 것이므로, 치료적인 만남의 의미가 매우 적다. 치료적으로 개입하기에 앞서 내담자가 온전히 현재에 머물고 잘 호흡하게 하는 것이 치료사로서 우리가 갖는 중요한 임무다. 현재에 머물지 못하고 그라운딩이 되어 있지 않은 내담자, 특히 불안이나 분노 문제를 지닌 내담자는 세상에 존재하지 않는 것들을 그들의 몸에서 확인할 수 있게 도와주는 것부터 시작하는 것이 좋다. 이는 점진적으로 일어나긴 하지만, 내담자들은 자기 스스로의 자각에 따라 특정 진행 부분을 다른 부분보다 더 잘 알아차릴 수 있게 된다. 내담자가 스트레스를 받으면 호흡이 수축하고 현재에서 이탈하는 단계까지 가고야 만다. 이는 다음과 같이 몸에 반영된다:

1. 호흡이 하체 부위에서 먼저 수축하면 종종 다리나 발을 흔들게 된다.
2. 호흡이 복부에서 수축하고 '소화기관'이 압박을 받거나 복부에서 단순한 긴장감이 느껴질 때 내담자는 화장실에 가고 싶은 느낌을 받기도 한다.

3. 호흡이 위장까지 수축하면, '가슴이 벌렁거린다'라거나 구토감을 느낀다.
4. 호흡이 목에서 수축하는 시점에 이르면, 종종 공황상태에 빠지거나 자유롭게 숨을 쉴 수가 없다.
5. 호흡이 머릿속, 특히 이마를 통해 수축하여 너무 죄면 현기증이 느껴진다.
6. 갑작스러운 충격을 받은 것처럼 호흡이 몸 전체를 통해 정수리 바로 위까지 빠르게 수축하면 실신할 수도 있다.

그라운딩 시퀀스

실습 1

'그라운딩'은 특히 분노나 공포 상태에 있는 아이들에게 적용 가능하며, 아이들이 평온함을 느끼고 몸의 호흡을 충분히 되찾게 한다. 또한, 그라운딩은 주기적으로 이것을 연습하고 적용할 의지가 있는 성인들에게도 적합한데, 이들은 호흡의 수축으로 증상을 확인하여 알아차리고 자신과 자기 삶이 지금 여기에 존재하고 있지 않다는 것을 알게 된다.

방법

1단계: 당신이 화가 나거나 두려워하고 있다는 것, 그리고 이런 감정들이 당신의 몸속 어디에서 느껴지는지를 알아차립니다.

2단계: 이런 감정들이 어떻게 호흡을 수축하는지 느껴보세요. 혹, 매듭, 단단한 돌, 뒤틀린 것 또는 다른 모양으로 느껴지나요?

3단계: 두 발을 구르며 '나는 여기 있다, 나는 안전하다, 나는 여기 있다, 나는 안전하다'라고 소리 높여 외치면서 방 주변을 걷습니다.

4단계: 마음이 진정되고 깊은 호흡이 다시 느껴질 때까지 발을 구르면서 이 단어들을 계속 반복합니다.

실습 2

아이들로부터 얻을 수 있는 결과와 동일하면서도 대체 가능한 재미있는 실습으로는, 드럼을 메고 '나는 여기에 있다, 나는 안전하다, 나는 보호받고 있다'를 반복하면서 드럼 리듬에 맞춰 방안을 행군하게 하거나, 아이들에게 안정감을 주는 행군 리듬과 호흡에 맞는 다른 운율로 행군하게 하는 것이 있다. 두려움, 불안, 분노의 감정이 줄어들 때까지 이 행동적인 개입을 지속한다.

실습 3

심호흡을 돕는 유산소 운동(헬스장 러닝머신 혹은 자전거를 힘차게 밟는 운동이나 장시간 달리기, 구기 운동)은 실제로 내담자를 '그라운딩'하게 하고, 그들의 신체감각과 행동에 대해 더 알아차리게 할 것이다. 그러고 나면 내담자는 그들이 이용할 수 있는 환경, 공간, 장비의 요구 조건에 능숙하게 맞춰진 행동 옵션을 선택할 수 있다.

분노 진단하기와 전환하기

분노 조절 문제는 아동·청소년 또는 성인 치료에서 주요한 주제 중 하나다. 분노는 항상 실제로 분노를 일으키는 두려움의 항해를 보이지 않게 하는 연기와 같다. 분노가 인지된 위협과 맞닥뜨리면 싸움으로 반응하게 된다. 분노는 외부화(공격적)되어 다른 사람에게 직접 영향을 미치거나, 개인의 몸안에 내재화(수동적)되어 건강을 해치고 비아냥거림, 욕설, 가십, 복수, 조작, 거짓말처럼 이차적인 간접 표현을 유발하는 복잡한 현상이다. 분노는 공공연하게 표현되든 은밀하게 표현되든 상관없이 몸안의 호흡을 수축시키고 스트레스 및 마음챙김의 결핍을 유발하여 자기조절을 어렵게 만든다.

분노 인식하기

이 간단하고 치료적인 미술 실습은 분노가 일어나는 초기 경고 신호를 알게 하고, 분노 조절 과정에 대한 인식을 더 발달시키는 데 도움을 준다. 신호등에서 사고를 내지 않는 첫걸음이 빨간색이 멈춤을 의미한다는 것을 아는 것처럼, 화를 다스리는 첫걸음은 그것이 어떤 모습인지 아는 것이다. 이 실습은 신체의 움직임뿐 아니라 크레용과 종이를 활용하여 완수한다.

매체

- A4 용지
- 오일 크레용 또는 아크릴 물감(혹은 내담자의 기호에 따라 점토도 가능)

방법

1단계: 일어서서 발끝까지 호흡하는 연습을 합니다.

2단계: 호흡이 발가락 끝에서 나온다고 상상할 수 있을 때까지 발끝까지 호흡합니다. 심호흡을 4–5회 정도 하고 나서 숨을 내쉴 때마다 호흡이 점차 온몸을 통해 사지로 퍼지는 것을 상상해 보세요. 호흡이 발바닥까지 끌어내리는 느낌이 들게 발을 구릅니다.

3단계: 화가 났던 상황을 떠올려본 후 그 화난 감정이 당신의 몸 어디에 존재하는지 살펴봅니다. 그 신체 부위에서 불편감, 스트레스 또는 긴장감이 느껴질 것입니다.

4단계: 몸에서 긴장감이 가장 강하게 느껴지는 부위에 손을 올려봅니다.

5단계: 긴장감이나 스트레스를 받은 감정의 모양을 흰색 종이에 크레용으로 그려 봅시다. 그 감정은 매듭처럼 생겼나요, 검은 돌덩이 같은가요, 끈 뭉치 같은가요? 아니면 다른 모양인가요? 크레용 대신 점토로 감정 덩어리의 모양을 만들 수도 있습니다.

6단계: 이 모양은 당신 안의 분노입니다. 이 모양이 느껴지기 시작하면, 당신이 화난 것을 알게 됩니다. 이것은 당신이 다른 사람이나 자신의 상황에 대해 분노를 표현하기 전에 생겨납니다. 지금 멈추려면 조처를 해야 한다는 오렌지빛의 경고입니다.

응급처치: 분노 표출하기

드라마 치료에서 유래된 이 실습은 '퇴장하기 또는 대나무 기법'(8장 참조)으로 알려져 있으며 Tagar (1996)에 의해 개발되었다.

방법

1단계: 일어나서 눈을 감고 발끝까지 호흡합니다. 당신 앞에 아무도 없는지 확인합니다. 벽, 창문 또는 열린 문을 마주할 수 있다면 가장 좋습니다.

2단계: 불편하고, 긴장되고, 스트레스를 받고 화가 난 신체 부위에 손을 올려봅니다.

3단계: 긴장되거나 화난 느낌을 모아 손에 공을 쥔 것처럼 담은 후 가능한 한 멀리 던져 버리세요. 우렁차고 견고하게 '*g*' 소리를 내면서 날려버립니다.

4단계: 한 걸음 뒤로 물러서서 발을 세게 구르세요.

5단계: 양손을 힘차게 흔들어 화난 감정을 떨쳐 냅니다.

6단계: 몸의 긴장이나 분노가 더는 느껴지지 않을 때까지 2단계에서 5단계를 세 번 또는 그 이상 반복합니다.

분노의 원인을 알아낸 후 분노 표출하기

분노는 깊은 내면의 상처를 보이지 않게 하는 증상일 뿐이다. 분노는 그저 뿌연 연기일 뿐이다. 진짜 불은 가슴 깊이 내재한 두려움의 경험으로, 분노를 유발한다. 가슴 깊이 자리한 두려움은 해소될 필요가 있다. 그래야지만 분노가 계속 생기지 않을 것이다. 분노의 원인을 밝혀내고 분노에 영향을 준 근본적인 두려움이 치유되기 전까지는 지속적인 행동 변화를 기대할 수 없다.

이 실습에서는 점토를 사용하는데, 점토는 분노와 관련한 작업에서 훌륭한 매체가 된다. 왜냐하면, 내담자가 성형하고, 모양을 만들고, 두들기고, 주먹으로 치고, 비틀거나 납작하게 만들면서 점토가 분노를 흡수하기 때문이다(Henley 2002). 『점토 치료의 치유법(*The Healing Art of Clay Therapy*)』

(Sherwood 2004)에서는 분노가 있는 내담자들과 함께 점토를 활용하는 것이 어떤 치료적 효능을 갖는지 잘 정리되어 있다.

매체

- 가로 0.5 m, 세로 0.5 m 정도의 작업용 판자 1개
- 분무기
- 옹기토를 담을 수 있는 밀폐용 양동이
- 손을 닦을 수건
- 손바닥만한 둥근 모양의 점토 3개
- 점토를 자르거나 조각하는 도구

주의: 보석류, 특히 반지는 빼도록 한다.

방법

전체 시퀀스는 네 부분으로 구성되며, 아래와 같이 도식적으로 설명되어 있다:

분노를 네 부분으로 나눈 점토 치료 시퀀스

1단계, 2단계와 3단계는 분노 행동의 원인이나 촉발 요인을 찾기 위해 진단하는 단계다. 4단계는 개입을 나타낸다. 3단계와 4단계 사이에는 아래에 제시된 것처럼 시퀀스 내에서 파악되고 구체화되는 중간 개입 과정이 있다.

1단계: 폭발한 분노(뿌연 연기) 표현하기

- 당신의 분노가 폭발했던 상황을 생각해 보세요. 분쟁의 당사자, 환경, 시간, 사건 등을 상세히 떠올립니다.
- 이 사건을 떠올릴 때 가장 불편한 신체 부위를 느껴봅니다.
- 그 불편한 신체 부위에 손을 대 보세요.
- 그 신체 부위로 한 발짝 더 다가갑니다.
- 분노를 지각한 다음, 손으로 분노를 붙잡으세요.
- 벽에 대고 '*g*' 또는 '*ahh*'를 크게 소리 내세요.
- 당신이 폭발시킨 분노가 벽 아래로 떨어지는 것이 보이고, 이제 숨을 깊게 쉴 수 있다고 느낄 때까지 이것을 여러 번 반복합니다.
- 이제 멈추고, 분노의 모양을 점토로 만들어 봅시다.

분노가 확실하게 폭발되지 않으면, 폭발될 때까지 1단계를 반복한다. 파괴된 분노는 큰 덩어리, 둥근 공, 평평한 블록, 입체로 만들어질 수 있다. 폭발한 분노는 점토가 조각조각 난 채로 탁자 너머로 흩어지거나, 촉수나 화살 같은 팔들이 여러 방향으로 튀어나오면서 드러날 것이다. 만약 분노가 팽팽한 공이나 단단한 형태로 아직 남아있다면, 내담자의 수축한 호흡이 이완되고 폭발한 분노를 분명히 볼 수 있을 때까지 위의 과정을 계속 반복한다.

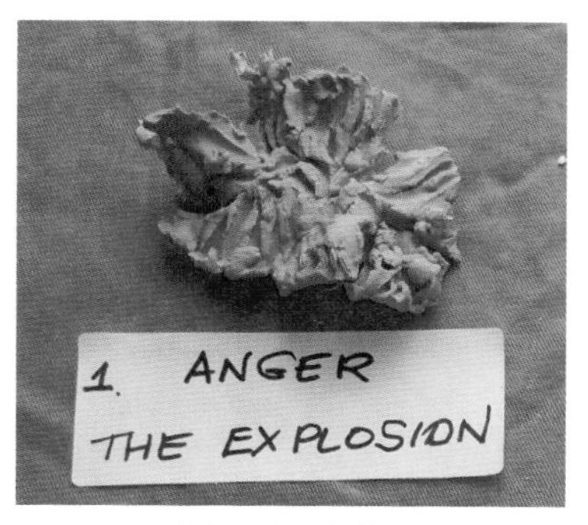

폭발한 분노(연기)

2단계: 고통의 위치 찾기 : 고문실(화염)

- 당신의 신체 중 분노를 체험한 부위부터 다시 시작합니다.
- 이번에는 분노를 폭발하기 전의 상태로 돌아가 느껴보세요. 이곳은 폭발하기 전에 압력이 쌓이는 곳입니다.
- 이곳에서 압력이 쌓이는 것을 느껴보세요.
- 당신의 몸이 어떻게 이 스트레스와 수축한 호흡의 공간에 갇혀 있다고 느껴지는지 알아차립니다. 사악함, 감옥, 바위 밑, 콘크리트 블록 사이에 갇히는 것 같은 느낌인가요?
- 그 신체 부위에서 한발 뒤로 물러나 빠져나온 뒤 당신이 갇혀 있는 곳의 모양을 점토로 만들고, 이를 '덫(trap)' 또는 고통의 장소라고 명명합니다.

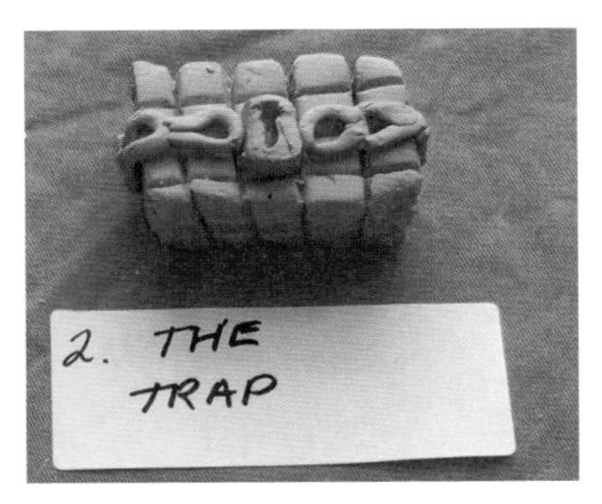

덫 – 잠겨진 상자에 갇힘

호흡이 팽팽하게 수축하는 지점이 바로 이곳이므로 폭발하기 전의 사람들은 각각 고문실에 있는 것처럼 체감한다. 매우 다양한 종류의 덫이 있으므로, 내담자에게 그들이 만든 점토작품의 어디쯤 갇혀 있는지 알려 달라고 요청하면 내담자는 자신이 점토의 하단이나 내부, 또는 다른 어떤 방식으로 갇혀 있다고 명확하게 알려줄 것이다. 이것은 그들을 자유롭지 못하게 하고 호흡을 수축한다.

3단계: '갇혀 있거나 두려워하는 사람', 즉 분노의 원인(불을 태우고 연기를 만들어내는 통나무) 밝혀내기

- 당신의 신체 중 분노를 경험한 부위부터 다시 시작합니다.
- 당신이 갇혀 있는, 호흡이 수축한 그 위치로 한 발짝 더 가보세요.
- 당신이 고문실 안에 갇혀 있는 자세를 온몸으로 취해보세요. 가령, 몸을 아래로 쭈그리거나 땅에 눕거나 공 모양으로 웅크리거나, 2단계에서 완성한 갇혀 있는 형상에 들어가기 위한 제스처를 모두 취해봅니다.
- 당신의 제스처를 알아차리고, 이 동작에서 느껴지는 것을 확인하세요.
- 당신의 몸이 이런 형태를 취하게 된 최초의 기억을 떠올려 보세요.
- 이제 기억을 멈춘 후, 갇혀 있는 제스처의 모양을 점토로 만들어 보세요.
- 당신의 느낌, 그리고 당신의 몸이 이 형태에 존재했던 최초의 기억을 적어 봅시다.

3단계는 분노의 원인을 밝혀낸다. 갇히거나 두려운 사람은 분노라는 원초적인 방어 수단으로 자신을 보호하려고 시도해왔다. 이 단계는 특정 분노의 표현을 치유하는 데 중점을 둔다. 이는 실제 점토로 표현하는 개입법의 이전 단계로, 전단계들이 진단적이었다면 이제는 치료사와 내담자가 분노의 원인을 관찰하도록 이끌어 준다. 두려운 사람이 얼마나 짓눌려 있는지, 얼마나 호흡하지 못하는지를 그들의 제스처에서 관찰할 수 있다.

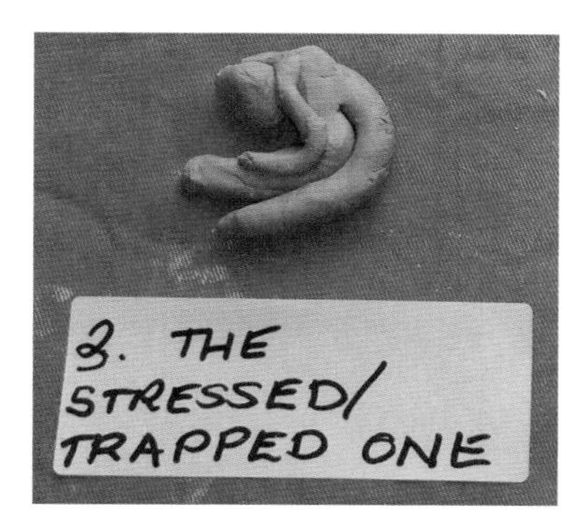

스트레스를 받거나 갇힌 사람(불을 일으키는 통나무)

개입

3단계에서 발견된 바와 같이 분노 행동으로 몰아갈 수 있는 스트레스와 수축된 호흡을 내담자의 몸에서 내보내기 위한 개입은 분명히 필요하다. 분노는 두려움과 괴로움에 대한 위장이다. 이 과정에 착수하기 위해서는, 먼저 내담자에게 말 그대로 점토로 만든 동작으로 돌아가라고 하고, 쭈그리거나 웅크렸을 때 공격당하거나 버림받은 느낌이 들거나 혹은 둘 다에 대해 상담사에게 말하는 것이 가장 좋다. 만약 그들이 버림받았다고 말한다면, 아래에 소개된 자원 활용하기를 하거나 자기 위로의 과정을 완료한다. 만약 그들이 공격당했다고 말한다면, 다음 페이지에 요약된 힘 북돋우기 과정을 완료한다. 만약 그들이 둘 다라고 말한다면, 우선 공격 시퀀스와 함께 두 개의 시퀀스를 모두 완료한다.

자원 활용하기: 자원 활용하기는 내담자가 버려짐, 부재 또는 결핍을 경험할 때 필요하다. 이는 사랑, 연결성, 따뜻함, 부드러움, 기쁨, 휴식, 평화 또는 다른 많은 가치의 부재를 의미할 수 있다. 여기에서 회복하기 위해서는, 내담자에게 있었다가 사라진 자질들을 다시 이곳으로 가져와 내담자에게 그것들을 시각화하고 다시 만들어내게 하는 것이 필요하다. 이는 다음과 같은 시각적 제안 사항들을 포함한다.

- 덫에 빠지거나 두려워하는 사람에게 필요한 자질들에 이름을 붙여 보세요.
- 살아 있든 죽었든, 유명하든 유명하지 않든 잃어버린 자질을 대변하는 누군가를 떠올려 봅니다.
- 그 자질이 어떤 느낌일지 상상해 보세요.
- 그 자질을 보여주는 동작을 취해보세요.
- 처음으로 스트레스를 감지한 신체 부위로 그 자질을 들이마십니다.
- 그 자질에 맞는 색을 선택한 후 그 색으로 호흡하세요.
- 그 자질에 맞는 소리를 찾아보세요.

- 그 소리에 당신을 맡겨 보세요.
- 그 자질의 모양을 점토로 만들어 봅시다.

내담자가 명명한 모든 잃어버린 자질에 대해 위의 과정을 반복한다. 이러한 자질들은 다양하고 개별적이다. 그것들은 치료 세션 후에 행동 활성화 프로그램에서 통합될 필요가 있다. 도판이 보여주듯이 그 자질들은 친구들, 사랑 그리고 따뜻함이었다.

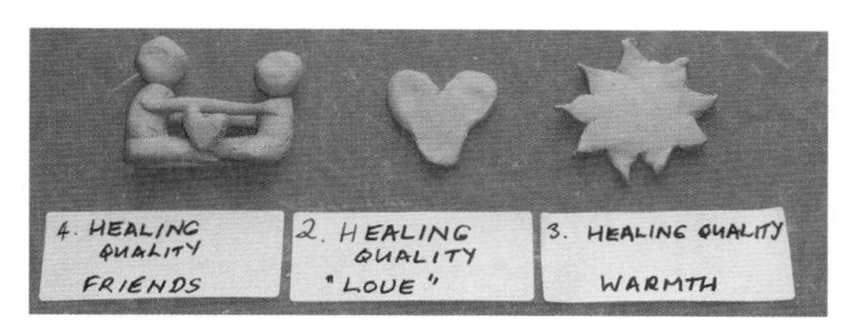

보호, 사랑, 양육, 상처 입은 사람을 에워싼 강점의 자질에 대한 예시

힘 북돋우기: 대안적으로, 내담자가 공격당했다고 느낄 때 힘을 북돋게 하는 과정이 필요하다. 일반적으로 내담자는 다른 사람의 말, 행위나 행동, 또는 자신의 사적 공간이 침해당했다고 경험된 상황에 대해 자신이 공격받았다고 느낄 수 있다. 공격을 통해 내담자의 경계는 무너지고, 패배하고, 남용되고, 무력해졌으며, 명확한 사적 공간을 지켜내지 못했으므로 힘을 북돋아주는 것이 필요하다. 공격당한다는 느낌을 없애기 위해, 내담자에게 점토로 만든 덫에 갇히거나 두려워하는 사람의 형태로 다시 들어가라고 요청한다.

- 그 형태로 머무는 동안 그 힘이 자신을 어떻게 공격하는 것처럼 느껴지는지 물어본다. 그 힘은 망치, 도끼, 화살, 꼬임, 칼처럼 느껴지는가?
- 내담자가 그 형태에서 나오면, 패배로부터 회복하는 것을 보여주는 새로운 강점의 위치에 서도록 한다. 필요하다면 긍정적인 동작을 제안한다.

- 내담자에게 수축에서 확장으로 전환되는 것과 연관된 소리를 내면서 자신을 공격했던 대상을 없애는 동작을 취하게 하여 공격한 대상을 역전시키도록 요청한다. 예를 들어, 칼에 찔린 느낌을 없애기 위해서는 '*Aaaarrrhh!!*'하는 소리와 함께 내담자가 몸에서 칼을 빼내어 버리는 동작을 취해야 할 것이다. 내담자가 다시 자유롭게 숨을 쉴 수 있다고 느낄 때까지 칼을 빼서 버리는 동작을 반복한다. 이렇게 하면 호흡의 리듬감이 회복된다.

내담자가 공격받은 느낌과 칼을 버린 느낌을 모두 체험했다면, 위에서 소개한 힘 북돋우기와 자원 활용 시퀀스를 모두 완료한다.

4단계: 충분히 호흡할 수 있는 회복과 침착의 상태

- 새롭고 강력한 힘이 실린 자세의 제스처를 취한다.
- 내담자에게 새롭고 강력하면서도 충분히 호흡하는 제스처의 이미지를 점토로 만들어 볼 것을 요청한다.

차분한 사람 – 충분한 호흡이 가능하고, 두려움과 분노에 더는 휩싸이지 않는 능력을 지닌 사람의 예시

해석

스트레스나 덫에 갇힌 사람과 회복된 사람을 비교하면 이 내담자가 이 시퀀스를 통해 효과적인 변화를 경험했음을 알 수 있다. 웅크림과 무거움이 주요한 힘이 되어 수축한 호흡을 보여준 개입 전의 동작 이미지는 이제 확

장, 가벼움, 펴기의 자세를 보여주면서 더 충분히 호흡하는 점토 형상의 이미지로 전환된다. 이 변화는 아래 도판에서 명확하게 나타난다.

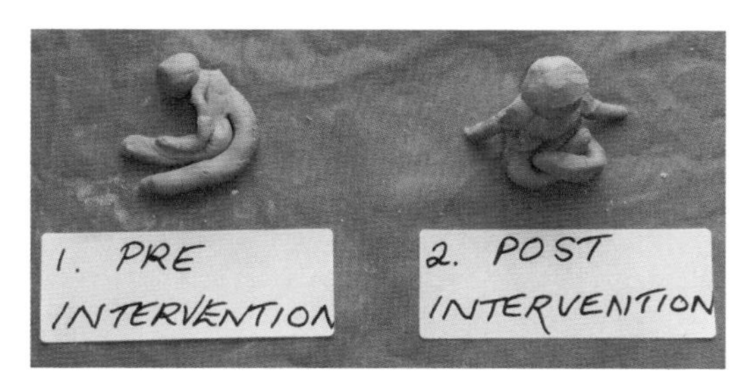

개입 전과 개입 후

논의

이 점토 치료 시퀀스는 서유럽인, 호주 원주민, 중국인, 말레이시아인, 인도인 및 아프리카인을 포함한 세계 여러 문화권의 개인 및 내담자 그룹과 함께 완료되었으며, 유사한 결과가 반복적으로 나타났다. 이 시퀀스의 비교문화적인 적용 사례는 2012년 르완다 대학살 생존자를 대상으로 한 프로젝트(Sherwood and O'Meara 2012)에 상세히 기록되어 있다. 이 시퀀스는 상담자가 숙달하기까지 많은 연습을 해야 하지만, 일단 숙달되고 나면 1시간 30분 이내에 완성할 수 있다. *상담자는 내담자가 압도 당하는 것 같으면 다시 조용하고 평화로운 호흡 공간으로 재빨리 퇴장하는 응급처치를 능숙하게 실행할 수 있을 때까지 이 시퀀스를 시도해서는 안 된다.*

결론

이 장에서 서술한 모든 시퀀스는 신체 기반의 창의적인 치료 개입방식을 취하고 있으며, 수축한 호흡을 스트레스가 없는 편안한 호흡으로 전환하는 데 중점을 둠으로써, 내담자가 감정적 삶 속에서 자기조절을 할 수 있게끔 한다. 내담자는 호흡을 되찾는 단계에서 자신의 감정을 조절할 수 있으므로 눈앞에 닥친 상황에서 충분히 현재에 머무를 수 있다. 몸과 마음, 생각, 감정과 행동을 연결하는 호흡의 중요성은 아무리 강조해도 지나치지 않다. 베트남 불교 승려이자 평화 운동가인 틱낫한(Thích Nhất Hạnh)은 이를 설

득력 있게 설명한다:

> 호흡은 생명과 의식을 연결하는 가교로, 당신의 몸과 마음을 하나로 묶는다. 당신의 마음이 흩어질 때마다 마음을 다잡는 수단으로 호흡을 활용하라(Thich Nhat Hanh 1987, p.15).

4

시각화와 심상 유도요법

소개

심상 유도요법(Guided imagery) 치료란, 내담자의 인지적 사고 과정이 능숙하고 기능적으로 회복되게 하는 치료적 의도를 지니며, 특정 이미지나 일련의 체험을 상상하도록 유도하는 구조화된 시각화 과정 및 잘 구축된 인지 행동 기법이다. 그중에서도 심신 연결의 강화에 중점을 둔 시각화 과정이 정기적으로 반복되면 다양한 행동에 큰 영향을 미칠 수 있다. Utay와 Miller (2006)는 불안, 분노, 행동 장애 및 동기화를 포함한 광범위한 문제에 걸쳐 심상 유도요법의 효과를 총체적으로 제시했다. 천식(Dobson *et al.* 2005), 스트레스(Rossman 2010), 편두통(Ilacqua 1994), 통증(Kabat–Zinn 2013)과 같은 특정 문제에 대한 심상 유도요법의 효과를 보여주는 상당한 증거들이 있다. 심상 유도요법은 온라인 정신질환백과사전(*Encyclopedia of Mental Disorders,* www.middisorders.com)에 나와 있듯이 행동 치료에서 다양한 방법으로 사용되었으며 이는 다음과 같다:

- 미래의 충격을 방지하는 심상(불안한 미래의 사건에 대비)
- 긍정적인 심상(이완 훈련을 위해 즐거운 장면을 활용)
- 혐오적 심상(불필요한 행동을 없애거나 줄이는 데 도움이 되는 불쾌한 이미지 활용)
- 연상되는 심상(불쾌한 감정을 추적하기 위한 심상 활용)
- 대처하는 심상(행동 목표에 도달하거나 상황을 관리하기 위해 이미지를 활용하여 리허설을 함)

- 스텝-업 기법(두려운 상황을 파악하고 이에 대처하기 위한 심상 활용)

다음과 같은 창의적인 CBT 기법은, 반복적인 시퀀스 내에서 긍정적인 심상을 활용하여 부정적인 경험과 인지적 세계관을 긍정적인 세계관으로 전환하거나, 패배한 경험과 부정적인 내적 대화를 긍정적으로 대처하는 세계관과 대화로 전환한다:

- 슬픔과 상실에서 긍정적인 성장으로의 전환
- 자책감에서 자기용서로의 전환
- 절망에서 희망으로의 전환
- 배신감에서 신뢰감으로의 전환

이러한 시각화 실습을 위해, 동시대의 문화·종교적 전통뿐 아니라 고대부터 그려진 긍정적인 이미지, 동물과 풍경을 포함하여 자연에서 얻은 이미지, 영감을 주는 사람의 이미지, 긍정적인 삶의 특성들을 표현하는 사람들의 이미지가 포함된 자원 파일을 준비한다. 모든 이미지는 내담자의 웰빙을 긍정적으로 강화하거나 특정 욕구를 충족시키기 위해 사용할 수 있다는 관점에서 선택된다. 내담자들은 다양한 세계관을 지니고 있으므로 불교, 힌두교, 기독교, 이슬람, 유대교, 세속주의, 인본주의와 불가지론 등 다양한 세계관과 공동체의 이미지를 준비한다.

이 이미지들을 2개의 자원 파일로 나눈다. 파일 1에는 양육 또는 지지해주는 성격의 이미지를 공통적으로 넣되, 버려짐이나 거부, 고독 및 고립의 경험과 상반되는 이미지들도 포함시킨다. 파일 2에는 보호를 요청하는 이미지를 공통적으로 넣는데, 이는 특히 '공격'을 당했을 때 내담자에게 보호, 힘과 경계를 환기할 수 있다.

자원 파일 1: 양육과 연관된 심상

이 폴더에는 모성, 부성, 사랑하는 친구, 사랑하는 파트너, 부드러운 자연의 양육 이미지, 유명하거나 유명하지 않은 사람의 사랑 이미지, 영적 이미지, 동물을 키우는 이미지 등이 포함되어 있다.

자원 파일 2: 보호와 연관된 심상

이 폴더에는 전사, 남성과 여성 보호자, 보호와 방어를 할 수 있는 사나운 동물, 산, 화산, 바위와 같은 강한 환경의 이미지 및 보호적인 영적 형상과 아이콘들이 포함되어 있다. 힘, 보호와 관련된 가벼운 이미지들도 포함되어 있다.

치료적 이슈로 예상되는 것과 관련되면서도, 매우 다양한 내담자의 선호도와 욕구를 즉각 충족시켜줄 수 있는 이러한 폴더들은 보통 약 100개 이상의 이미지로 구성되며, 부정적인 자기 대화와 심리적인 억제 경험을 제한하여 긍정적인 내적 대화와 행동 변화로의 전환을 촉진하는 심상 방식을 제공한다.

슬픔과 상실에서 긍정적인 대처로의 전환

슬픔과 상실의 경험은 일면 모든 내담자에게 영향을 미치며, 현대 사회에서는 친구나 가족의 죽음, 실직, 환경, 애완동물, 건강, 생계 등 잃을 것이 너무나 많다. 특히, 직업 변동성, 관계의 불안성과 이혼의 비율이 높아지면서, 사람들은 매일 상실을 경험하는 자신을 발견하게 된다. 슬픔과 상실을 견뎌낼 대처 기술이 없다면 많은 이들은 결국 우울증과 절망에 빠지고 만다. 슬픔과 상실이 해결되는 데까지는 어느 정도의 시간이 걸리는데, 이 실습은 슬픔과 상실의 과정을 통해 세상을 능숙하게 살려는 의지를 북돋우고 지속적인 성장을 돕는다.

심상 유도요법을 활용한 이 실습은 내담자가 21–28일 동안 반복적으로 완수할 것을 권하고 있으며, 그림들은 폴더에 보관하다가 해당 기간에 내담자가 참여할 때마다 치료상황에 가져온다. 슬픔과 상실을 체험하는 동안 내담자의 몸에서는 얕고 수축한 호흡이 일어나므로, 이 실습의 목표는 편안하고 깊은 호흡을 회복하는 데 있다. 치료사는 내담자가 긍정적이고 기능적인 행동을 재구축할 수 있도록 긍정적인 이미지를 주는 심상 유도요법으로 이 작업을 수행한다. 이 과정은 슬픔과 상실에 대한 내담자의 감정과 인식의 변화를 추적하는 시각적인 과정을 제공하기도 한다. 이 실습은 수채화나 점토로 완성할 수 있다. 저자의 경험상, 많은 남성 내담자들과 마찬가지로 호주 원주민들은 대개 점토를 선호한다. 이 책에서는 수채화를 사용한 그림으로 설명하도록 하겠다. 수채화는 노인, 아동, 요양자, 신체가 허약하고 지치고 만성피로가 있거나 정신 질환에 걸리기 쉬운 내담자, 점토보다는 수채화 작업을 선호하는 내담자에게 더 적합할 수 있다는 점에 유의한다.

매체

- 수채화 물감 세트
- 수채화용 도화지 3장
- 깨끗한 물이 담긴 물통 2개
- 수채화 붓 2개: 큰 붓 1개와 작은 붓 1개
- 색 혼합을 위한 수채화용 팔레트 1개

방법

1단계: 내담자가 슬픔을 느끼는 부위를 내담자의 몸에서 찾아보게 한다. 그 신체 부위의 색상과 모양을 감지한 후 색으로 칠해보도록 한다.

주의: 너무 선명하게 그리는 것을 피하려면, 우선 깨끗한 물로 도화지를 칠한 후 젖은 종이에 내담자가 색을 칠하도록 해준다.

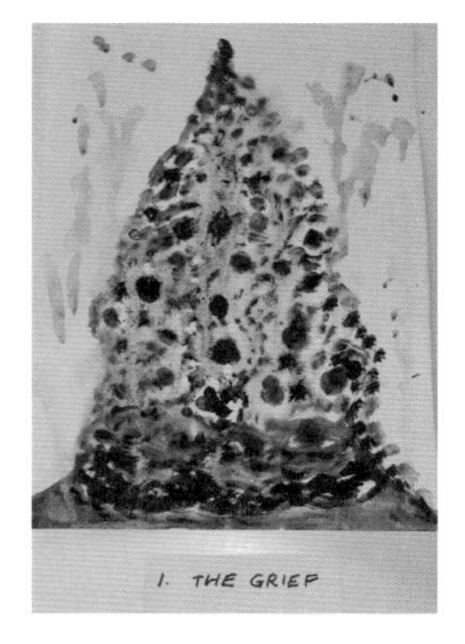

슬픔과 상실

2단계: 내담자가 슬픔을 떠올릴 때 자신이 잃었다고 느끼는 자질을 말해보도록 한다. 그 자질들은 즐거움, 우정, 따뜻함, 사랑, 재미, 교우 관계인가?

- 내담자가 잃어버린 자질을 보여주는 영혼이나 사람, 살아있거나 죽은 사람, 동물이나 자연의 이미지를 선택하게 한 후, 내담자가 자신에게서 잃어버린 자질로 호흡하는 것을 상상해 보도록 한다.
- 내담자에게 그 신체 부위에서 잃어버린 자질을 들이마신 다음, 그 자질이 온몸을 통해 흘러가게끔 한다.
- 내담자는 자신의 몸을 통해 흐르는 잃어버린 자질에 대한 색을 선택한 후, 몸에서 새로운 호흡이 흐르는 것을 그 색으로 표현한다.

잃어버린 치유의 자질

3단계: 내담자가 잃어버린 자질이 자신의 호흡을 통해 어떻게 흘러가는지 느껴보게끔 이끌어 준다. 그들이 처음으로 슬픔을 체감한 부분이 어떻게 바뀌기 시작했는지 그려보게 한다.

치유의 장소

이 실습이 완료되고 나면, 내담자가 잃어버린 자질을 어떻게 삶 속으로 다시 가져올지에 대해 전략을 세우고 함께 상의하는 것이 좋다. 만약 사회적, 개인적, 일과 가족이라는 맥락에서 연관된다면, 내담자의 삶이 지닌 다양한 차원을 탐색해 보는 작업도 좋다. 다음 세션이 오기 전에 그 전략 중 하나를 실행하고 일상에서 규칙적인 패턴으로 완수하게끔 격려한다. 예를 들어, 내담자가 흥미를 갖고 매주 또는 2주에 한 번씩 나가는 사교 모임에 가입하여 그들이 잃어버린 우정이나 유대감을 다루는 것이다. 이 실습은 지시된 시각화를 시행할 뿐 아니라 변화된 라이프스타일을 통한 행동 변화에 중점을 두고 있다.

내담자는 치료 세션에서 막 끝낸 심상 유도요법의 수채화 시퀀스를 어떻게 반복할 것인지 명확한 지침을 세워 서면으로 작성 후 세션을 종료한다. 내담자가 잃어버린 자질 중 그날 생각하기에 가장 중요한 것이 있다면 매일 다른 자질을 선택할 수 있다. 그 시점에서 내담자에게 강하게 드는 생각이 있다면, 같은 자질을 며칠 연속으로 선택할 수 있다. 내담자에게 3개의 그림 세트마다 각각의 날짜를 기재하여, 클리어 파일이나 그런 종류의 파일에 연속적으로 넣도록 요청한다. 이 과정은 최소 일주일 간 반복하는 것이 바람직하지만 여기서는 21-28일을 목표로 한다. 이 수채화 실습의 또 다른 예는 Sherwood (2008, p.69)에 설명되어 있다.

자책감에서 자기용서로의 전환

심상 유도요법을 활용하는 것은 내담자가 자기비난에서 자기용서로 쉽게 전환될 수 있도록 지지해 주는 훌륭한 시퀀스가 된다. 자기비난은 내담자가 자신의 삶에서 긍정적으로 나아가는 것을 방해하는 주요한 심리적 걸림돌이 될 수 있다. 그것의 이면에는 중독과 같은 자기파괴적인 행동이 있으며, 어떤 성적 학대 사례뿐 아니라 다른 많은 일상생활 속에서도 명백하게 드러난다. 내담자는 부정적인 생각을 통해 자신의 결점, 미숙함, 또 어떤 면에서는 절망, 무력감이나 무능함이라는 이미지를 붙들고 놓지 못하게 된다.

이 실습은 대안적인 심상을 제시함으로써 긍정적인 내적 대화를 발달시킨다. 이 심상 유도요법 시퀀스는 내담자에게 긍정적인 자기용서와 자기수용의 심상을 제공하며, 최소 일주일 동안 매일 반복하면 내담자가 자신이나 타인에게 더 능숙하고 기능적으로 행동하는 변화가 일어날 수 있다. 자기용서의 시퀀스는 내담자가 자신을 용서할 수 없다고 판단했을 때 그들을 용서할 수 있는 세 사람의 이미지를 선택하게끔 하는 데 기반한다.

이는 수채화, 오일 크레용 또는 아크릴 물감으로 완성할 수 있다. 여기서는 오일 크레용을 활용한 사례를 살펴보겠다.

매체

- 다 합쳐서 최소 50개 이상의 긍정적인 이미지를 담은 자원 폴더
- 내담자가 선택한 예술 매체, 이 사례에서는 오일 크레용임

방법

1단계: 당신이 자기비난을 느끼는 곳은 몸 어디에 있는가? 해당하는 신체 부위에 더 다가가 호흡이 갖는 형태를 감지하고 마음에 그려본다. 크레용으로 그 형상을 직접 그려본다. 이것은 자기비난이 각인되는 것을 예방하는 개입방법이 된다.

용서할 수 없는 사람

내담자에게 자신을 용서할 수 있는 사람들을 모은 자원 폴더에서 3개의 이미지를 선택하도록 요청한다. 대개 내담자가 선택하는 인물은 달라이 라마, 넬슨 만델라, 테레사 수녀, 마틴 루터 킹, 간디, 프레드 홀로우스, 틱낫한, 쩐 콩 여승(Sister Chân Không) 등이다. 종종 선택되는 다른 이미지로는 강아지, 이모나 고모, 할머니 또는 그들이 개인적으로 알고 지내는 사람들이 포함된다. 자기비난의 이미지를 중앙에 배치하고 그 주변에 자신을 용서

용서할 수 없는 사람을 둘러싼 세가지 용서의 이미지

할 수 있는 사람이나 동물 사진 3장을 배치한다. 이 사례에서 내담자는 예수 그리스도, 데스몬드 투투 대주교와 자신의 강아지를 선택했다.

2단계: 내담자가 가장 먼저 선택한 인물로, 다음과 같은 질문과 지침이 포함된 긍정적인 자원 시퀀스를 시작한다:

- 당신이 잃어버렸다고 경험되는 자기용서의 자질은 신체 어느 부위에 있나요?
- 그 신체 부위에 당신의 손을 올려 보세요.
- 잃어버린 자기용서의 자질을 보여주는 첫 번째 이미지를 시각화한 후 그 이미지로부터 내가 잃어버린 자질을 얻는다고 상상합니다.
- 잃어버린 자질을 그 신체 부위로 들이마신 다음 이를 몸 전체로 흐르게 합니다.
- 잃어버린 자질을 나타내는 색으로 당신의 호흡을 칠한 후 5분 동안 계속 그 색으로 숨을 들이마십니다.
- 방금 당신이 …[이 사례에서는 내담자의 강아지]로부터 받은 것을 보여주는 자기용서[1)]의 자질을 반영하여 새로운 제스처를 취해 보세요.
- 잃어버린 자질의 소리를 찾아 큰 소리로 냅니다. 가능하면 모음 소리를 내되, 호흡을 늘려서 몸의 긴장을 풀어주세요. 이런 자기용서의 자질을 상기시키는 노래를 떠올리는 것도 좋습니다.
- 이제 막 몸에 들어온 자기용서라는 새로운 숨결을 나타내는 색으로 그림을 그립니다. 이 그림을 당신의 강아지 사진 옆에 놓습니다.

---

1) 이것은 내담자가 어떻게 느끼는지를 보여주는 몸, 특히 팔, 다리와 머리의 형태다. 여기에는 옳고 그름이 없으며, 어떤 모습의 자기 용서(또는, 이어지는 실습에서는 희망과 신뢰)를 보여준다고 하여도 받아들여질 수 있다. 중요한 것은, 내담자가 특정 감정에 집중하면서 취한 동작의 형태를 의식적으로 인식하는 것이다.

강아지를 통해 얻은 자기용서의 자질

3단계: 2단계의 모든 포인트를 반복하되 이번에는 내담자가 선택한 두 번째 이미지를 사용하여 자기용서를 표현한다. 이 사례에서 내담자는 다음 그림과 같이 예수 그리스도를 선택했으며, 그 옆에 자신의 그림을 배치했다.

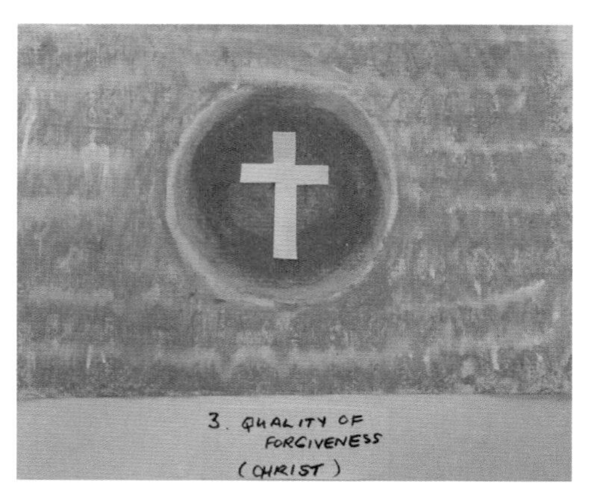

예수 그리스도로부터 받은 자기용서의 자질

4단계: 2단계에 있는 모든 항목을 다시 한 번 반복하되 이번에는 내담자가 선택한 세 번째 이미지를 사용하여 자기용서를 표현한다. 이 사례에서 내담자는 다음 그림과 같이 투투 대주교를 선택했으며, 자신이 선택한 대주교의 사진 옆에 이 그림을 배치했다.

데스몬드 투투 대주교로부터 받은 자기용서의 자질

5단계: 이제 내담자에게 처음으로 자책감이 일어났던 신체 부위에 손을 올려놓도록 요청한다. 내담자에게 그 신체 부위를 느끼게 하고 이 세 명의 인물로부터 자기용서를 받은 해당 부위의 에너지 흐름을 보여주는 그림을 크게 한 장만 그리도록 한다. 이것은 자책감에서 자기용서로의 전환을 보여주는 개입 후의 이미지다. *이 그림을 자책감의 이미지(용서할 수 없는 것) 위에 올려놓는다.*

중재 후: 용서받은 사람

완성된 자기용서의 시퀀스는 다음과 같이 시각화되었다:

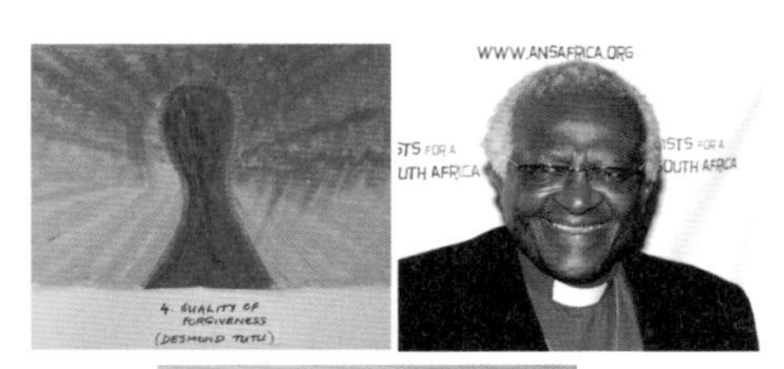

완성된 자기용서의 시퀀스

해석

개입 전과 개입 후의 이미지를 살펴보면, 개입 후에 그려진 그림의 색이 얼마나 밝아지고 풍부하고 유연해졌는지 알 수 있으며, 호흡을 나타내는 모든 기호는 자책감으로 인해 수축한 이전의 신체 부위로 돌아가고 있다. 개입 후의 새로운 이미지는 내담자가 자신을 새롭고 긍정적으로 인식하게끔 긍정적으로 강화하는 시각화를 제공하기도 하는데, 이는 긍정적인 내적 대화의 토대가 된다.

개입 전·후의 그림 비교

절망에서 희망으로의 전환

동시대에 만연한 우울증은 인간의 다양한 절망 상태를 가려버리기도 한다. 절망 상태에서는 삶에 대한 의지가 사라진다. 아침에 잠자리에서 일어나 하루를 맞이할 수 있을지는 몰라도 그들의 삶에는 아무런 목적이 없다. 희망을 잃고 절망에 빠진 사람들에게 우울증은 친밀한 관계, 가족, 지역 사회, 직장, 자연환경, 건강과 웰빙 및 공동체 안에서 충만한 관계를 만들고 소속되려는 그들의 욕구에 깊은 영향을 미치게 된다.

이 심상 유도요법 시퀀스는 내담자에게 대안적, 긍정적이고 희망적인 심상을 제공하며, 최소 일주일 동안 매일 반복하면 자신과 타인에게 더 능숙하고 기능적으로 행동하는 변화를 일으킬 수 있다. 절망에서 희망을 만드는 시퀀스는 내담자가 가장 어렵고 힘든 상황에서도 희망을 잃지 않은 세 인물의 이미지를 선택하게 하는 데 기반을 둔다.

이 실습은 수채화, 오일 크레용이나 아크릴 물감으로 완성될 수 있다. 여기서는 수채화를 활용한 사례를 살펴보겠다.

매체

- 선택한 색채 매체에 적합한 도화지 4장
- 다 합쳐서 최소 50개 이상의 긍정적인 이미지를 담은 자원 폴더

방법

1단계: 당신은 신체 어느 부위에서 절망을 느끼는가? 해당 신체 부위로 한 발 더 나아가 호흡의 형태가 느껴진다고 상상해 본다. 그 형태를 크레용으로 그린다. 이 그림은 개입 전에 그려진 절망의 이미지다.

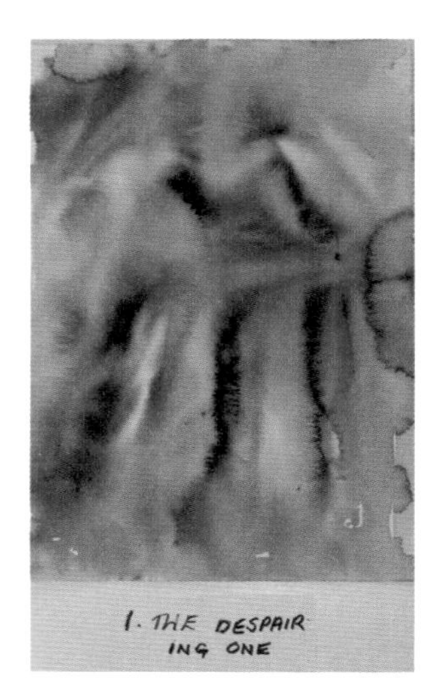

절망하는 사람

어려운 상황에서 희망을 보여준 인물들, 그리고 절망에 빠지지 않은 인물들을 모은 자원 폴더에서 내담자가 세 개의 이미지를 선택하도록 한다. 내담자들이 자주 활용하는 인물로는 달라이 라마, 넬슨 만델라, 테레사 수녀, 마틴 루터 킹, 간디, 프레드 홀로우스, 틱낫한, 아웅산 수치 등이 있다. 자주 선택되는 또 다른 이미지로는 산불이 끝난 후 재생하는 자연, 사랑하는 자녀를 잃은 어머니가 다른 자녀들을 계속 돌보는 모습, 암을 이겨낸 친구와 희망을 품고 병을 이겨낸 친구 등이 있다. 절망의 이미지를 중앙에 배치하고 내담자가 선택한 희망의 이미지 세 개를 그 주위에 배치한다. 이 사례에서 내담자는 넬슨 만델라, 마더 테레사 그리고 재생하는 자연을 선택했다. 이전 시퀀스와 동일하게, 절망하는 인물 주변에는 내담자가 선택한 이미지들을 배치한다.

2단계: 내담자가 가장 먼저 선택한 인물과 함께, 다음과 같은 질문과 지침이 포함된 긍정적인 자원 시퀀스를 시작한다:

- 당신의 몸 어딘가에서는 당신이 잃어버린 희망의 자질이 필요하다는 것을 체감하고 있습니다.
- 그 신체 부위에 손을 대 보세요.

- 잃어버린 희망의 자질을 보여주는 첫 번째 이미지를 시각화한 후, 그 시각화된 이미지로부터 당신이 잃어버린 자질을 얻는다고 상상합니다.
- 잃어버린 자질을 해당 신체 부위까지 들이마신 다음, 그 자질이 당신의 온몸으로 흐르게 둡니다.
- 잃어버린 희망의 자질을 색으로 칠한 후 5분간 그 색으로 숨을 들이마십니다.
- 방금 당신이 …[이 사례에서는 넬슨 만델라]로부터 받은 것을 보여주는 희망의 자질을 반영하여 새로운 제스처를 취해 봅니다.
- 잃어버린 자질의 소리를 찾아 큰 소리로 내세요. 모음은 신체에 호흡을 증가시키고 몸을 이완시키는 데 도움이 되므로 가능하면 모음을 활용하여 소리를 냅니다. 희망적인 영감을 주는 노래를 떠올려도 좋습니다. 그 노래를 재생하거나 불러봅니다.
- 방금 얻은 희망의 숨결을 나타내는 색으로 그림을 그립니다. 완성된 그림을 넬슨 만델라의 사진 옆에 배치하세요.

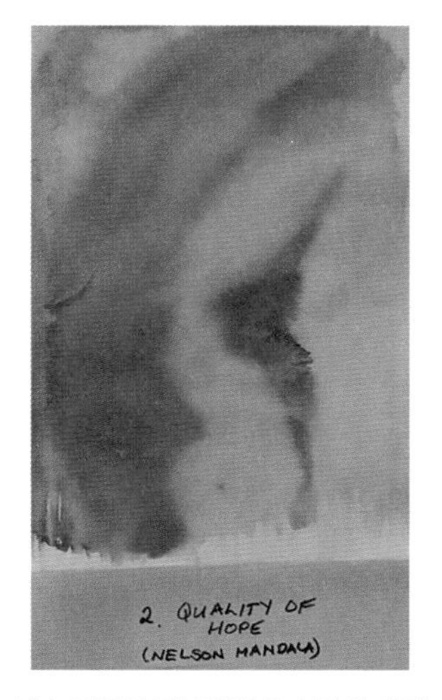

넬슨 만델라로부터 받은 희망의 자질

3단계: 2단계에 있는 모든 항목을 반복하되, 이번에는 희망을 나타내기 위해 내담자가 선택한 두 번째 이미지를 활용한다. 이 사례에서 내담자는 테레사 수녀를 선택했으며, 테레사 수녀의 사진 옆에 이 그림을 배치했다.

테레사 수녀로부터 받은 희망의 자질

4단계: 2단계에 있는 모든 항목을 다시 반복하되, 이번에는 내담자가 선택한 세 번째 이미지를 활용하여, 절망을 이겨내고 희망으로 승리한 것을 표현한다. 이 사례에서 내담자는 환경파괴 이후에 재생하는 자연을 희망의 이미지로 선택한 후 다음과 같이 그렸다.

재생하는 자연을 통한 희망의 자질

5단계: 이제 내담자에게 처음에 절망이 있던 신체 부위에 손을 얹어보라고 한다. 그들에게 그 부위를 느껴보라고 한 후, 이전의 절망적이었던 경험 앞에서 이 세 명의 인물로부터 얻은 희망이 이제 그 신체 부위에서 에너지로 흐르는 것을 보여주는 그림을 크게 한 장 그리게 한다. 다음 그림은 개입 후에 절망이 희망으로 바뀌는 것을 보여준다.

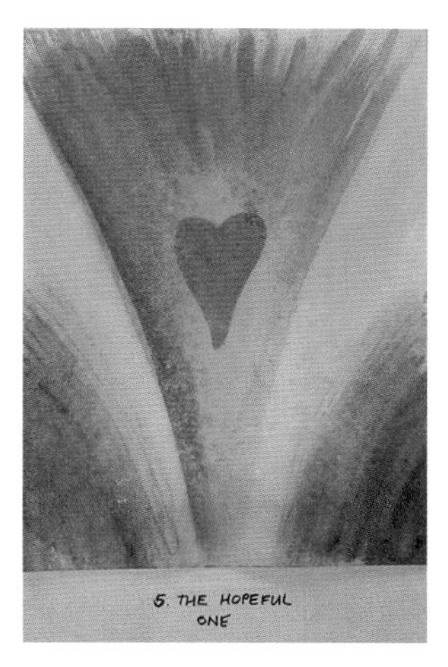

개입 후: 희망적인 것

이제 원래의 이미지를 바닥에 내려놓고, 희망을 의미하는 세 장의 긍정적인 그림을 그 주위에 놓는다. 그다음에 첫 번째 그림 위에 다섯 번째 그림인 '개입 후: 희망적인 것'을 두면 내담자는 이제 심상 유도요법의 전환을 한눈에 볼 수 있게 된다.

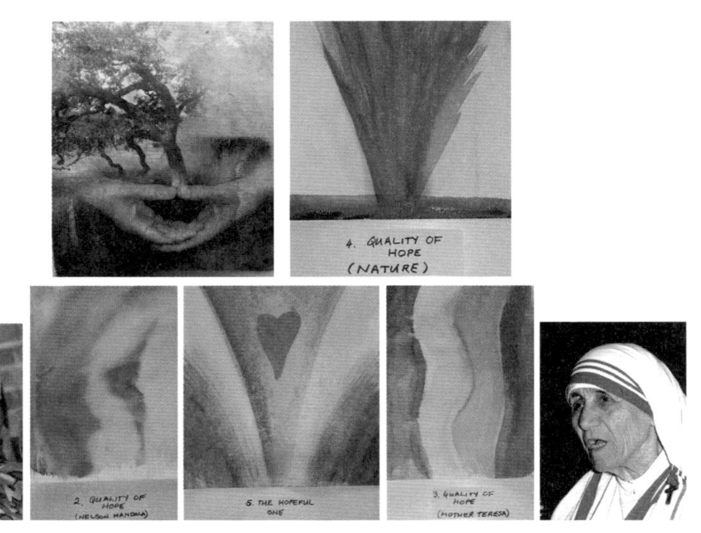

절망에서 희망으로의 시퀀스가 완성된 상태

내담자가 배치한 것은 자책감에서 자기용서로 이어진 이전의 시퀀스와 같다. 최종적으로 배치한 것을 내담자에게 휴대폰으로 찍게 하고, 만약 그들이 그림을 집으로 가져가길 간절히 원한다면 집의 중요한 장소에 두어 이를 시각화하게 한다. 의식적으로 몇 번 심호흡을 하여 이러한 새로운 자질들을 호흡하게 되면, 날마다 새로운 시각화를 만들어낼 수 있다. 내담자는 이 실습을 최소 일주일 동안 매일 완수하는 것이 좋다.

개입

이 새로운 이미지들은 내담자에게 긍정을 강화하는 시각화를 제공하여 자신에 대해 새롭고 긍정적으로 인식하게끔 한다. 사전·사후의 이미지를 통해 사후 개입에서 색상이 어떻게 밝아지고, 다양해지고, 유연해졌는지 알 수 있으며, 절망적인 세계관으로 인해 수축되었던 신체 부위로 호흡을 표시한 모든 기호들이 어떻게 돌아가는지를 보여준다. 어두운 색이 밝고 화사한 색으로 바뀌면서 호흡의 흐름은 이제 수축하고 구부러진 붓놀림이라기보다는 명확하고 자유로운 획으로 표현된다.

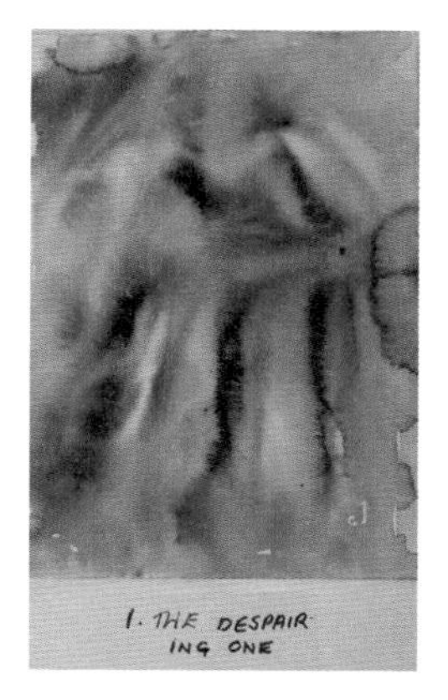

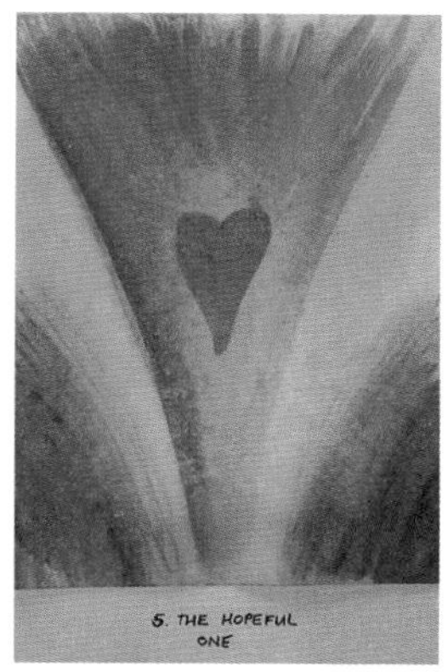

개입 전·후의 이미지 비교

배신감에서 신뢰감으로의 전환

배신감이란, 깨져버린 친밀한 관계, 이혼, 깨진 우정 그리고 가족들과의 상황 속에서 생기는 흔한 감정이다. 배신감에 대해 의식적으로 집중하는 내담자는 오래전에 상황이 끝났음에도 현재를 경험하고 살아가는 데 너무 큰 어려움을 겪는 경우가 종종 있다. 때로는 매우 부정적인 내적 대화를 통해 후회하고/또는 쓰라림 속에서 살아가면서 그들 자신을 위해 생산적이고 능숙한 미래를 만드는 데 실패하기도 한다.

배신감에서 신뢰감으로의 시퀀스는 배신을 경험한 내담자에게 신뢰와 연관된 새로운 긍정적인 이미지를 제공하기 때문에 그들은 현재의 순간으로 나아가 긍정적인 내적 대화와 심상을 떠올릴 수 있게 된다. 처음에는 배신에 대해 '마음에 비수를 꽂다', '등에 칼 꽂기', '배 차기' 등의 언어에서 표현된 것처럼 자신을 공격한 세력으로 경험한다. 내담자들은 그들의 몸이 어떻게 배신을 경험하는지에 대해 시각화하고, 그림으로 그리고, 묘사하고, 이미지를 선택하도록 요청받는다. 만약 그들이 마음에 비수가 꽂혔다고 말한다면, 상담자와 내담자는 그 마음에서 칼을 빼내 숨을 내쉬고 수축한 호흡을 이완하면서 그 칼을 버리는 걸 보여주는 몸짓을 취한다. 이를 여러 번 행한 다음에, '칼'로 공격받았거나 내담자가 자신을 공격했다고 설명하는 어떤 힘이 가해진 신체 부위로 숨을 깊이 들이쉰다. 뒤이어, 아래에 설명된 '배신감에서 신뢰감으로의 시퀀스'에서 심상 유도요법을 활용하여 그들의 삶에 신뢰의 경험을 쌓아주는 쪽으로 내담자의 인지적·행동적 행위의 방향을 바꿔준다.

이 심상 유도요법 시퀀스는 배신감을 느끼던 내담자가 다시 신뢰할 수 있는 사람으로 인지·행동의 변화를 일으키는 대안적이고 긍정적인 이미지를 제공한다. 내담자가 최소 일주일 이상 이 시퀀스를 매일 반복한다면, 자신과 타인에 대해 더 능숙하고 기능적으로 행동하는 전환점을 만들어낼 수 있다. 배신감에서 심뢰감으로의 시퀀스에서는 내담자가 믿을 수 있는 사람, 동물, 원형(archetypes) 또는 자연 이미지 중에서 세 개의 이미지를 선택할 수 있다. 이 시퀀스는 앞의 두 시퀀스와 동일한 패턴을 따르되, 배신감에서 신뢰감으로의 변화에 초점을 맞춘다.

이 실습은 수채화, 유화나 아크릴 물감으로 완성될 수 있다. 저자는 크레용을 활용하여 이 시퀀스를 설명하겠다.

매체

- 선택한 색상 매체에 적합한 도화지 4장
- 다 합쳐서 최소 50개 이상의 긍정적인 이미지를 담은 자원 폴더

방법

1단계: 당신은 신체의 어느 부위에서 배신감을 느끼는가? 그 신체 부위 앞으로 한발 다가가서 호흡의 형태가 느껴진다고 상상한다. 크레용으로 그 모양을 그려본다. 이 그림은 개입 이전에 그려진 배신감의 이미지다.

배신당한 이미지

내담자에게 그들이 믿을 수 있는 것들을 모아 놓은 자원 폴더에서 세 개의 이미지를 선택하게 한다. 내담자들이 자주 선택하는 인물로는 달라이 라마, 넬슨 만델라, 테레사 수녀, 마틴 루터 킹, 간디, 프레드 할로우스, 예수 그리스도, 성모 마리아 등이 있다. 배신감을 표현한 그림을 중앙에 배치하고 그 주위에는 내담자가 신뢰하는 세 명의 인물사진을 배열한다. 이 내담자는 성모 마리아, 그녀의 나나(Nana)와 자신의 반려견을 선택했다. 선택된 이미지들은 이전 시퀀스와 동일하게 절망하는 이미지 주변에 배치되었다.

2단계: 내담자가 가장 먼저 선택한 인물로, 다음과 같은 질문과 지침이 포함된 긍정적인 자원 시퀀스를 시작한다:

- 당신은 신체 어느 부위에서 당신이 잃어버린 신뢰감의 자질이 필요하다고 느끼나요?
- 그 신체 부위에 손을 대 보세요.
- 잃어버린 신뢰감의 자질을 보여주는 첫 번째 이미지를 시각화하고, 선택된 이미지 중 한 개에서 당신이 잃어버린 자질을 받고 있다고 상상합니다.
- 잃어버린 신뢰감의 자질을 몸안으로 들이마신 다음 그 자질이 온몸에 흐르도록 합니다.
- 잃어버린 자질을 색으로 칠한 후 5분간 그 색으로 숨을 들이마십니다.
- 방금 당신이 …[이 사례에서는 성모 마리아]로부터 받은 것을 보여주는 신뢰감의 자질을 반영하여 새로운 제스처를 취해 봅니다.
- 잃어버린 신뢰감의 자질을 나타내는 소리를 찾아 크게 소리냅니다. 모음은 신체에 호흡을 증가시키고 몸을 이완시키는 데 도움이 되므로 가능하면 모음을 활용하여 소리를 내세요. 이 신뢰감의 자질을 떠올리게 하는 노래를 부르거나 감상해도 좋습니다.
- 성모 마리아로부터 받은 새로운 신뢰감의 숨결이 하나의 색이 되어 이제 몸을 타고 흐르는 것을 그림으로 그립니다. 배신감을 표현한

첫 번째 이미지 옆에 이 그림을 두세요.

성모 마리아로부터 받은 신뢰감의 자질

3단계: 2단계의 모든 항목을 반복하되, 이번에는 내담자가 신뢰감을 나타내기 위해 선택한 두 번째 이미지를 활용한다. 이 사례에서 내담자는 나나(Nana)를 선택했으며, 그림은 다음과 같다:

나의 나나(Nana)로부터 받은 신뢰감의 자질

4단계: 2단계에 있는 모든 항목을 다시 반복하되, 이번에는 내담자가 신뢰감을 나타내기 위해 선택한 세 번째 이미지를 활용한다. 이 사례에서

내담자는 자신의 반려견을 선택했으며 그림은 다음과 같다:

나의 반려견에게서 받은 신뢰감의 자질

5단계: 이제 내담자에게 처음 배신감을 느꼈던 신체 부위에 손을 올려보라고 한다. 그들이 그 신체 부위를 느꼈다면, 이제 반려견을 포함한 이 세 인물의 사진으로부터 받은 신뢰감이 그 신체 부위에 에너지로 흐르는 것을 보여주는 그림을 크게 한 장 그려보라고 한다. 이 그림은 배신감에서 신뢰감으로 인지적인 변화가 생긴 결과물로, 전환된 상태를 보여주는 개입 후의 이미지다.

개입 후: 신뢰하는 사람

이제 그림을 바닥에 내려놓고, 그 주위에는 신뢰감을 나타내는 세 가지의 자원 사진을 둔다. 그런 다음 다섯 번째 그림인 '후속 개입: 신뢰할 수 있는 사람'을 첫 번째 작품 위에 배치하면 내담자는 이제 심상 유도요법의 전환을 한눈에 볼 수 있다.

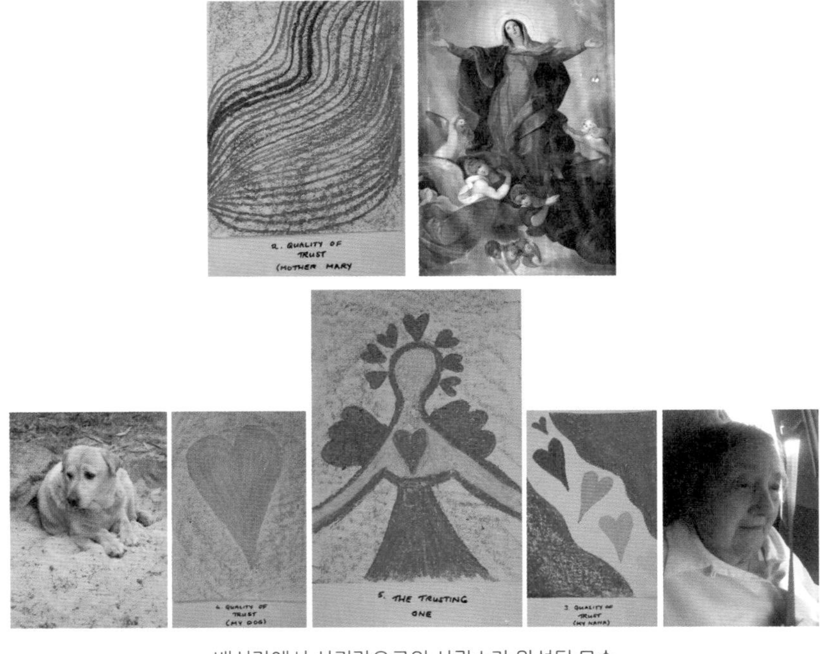

배신감에서 신뢰감으로의 시퀀스가 완성된 모습

이 사례에서 보여준 모든 이미지의 배열은 앞의 두 시퀀스와 같다. 최종적으로 배치한 것을 내담자에게 휴대폰으로 찍게 하고, 만약 그들이 그림을 집으로 가져가길 간절히 원한다면 집의 중요한 장소에 두게 한다. 그러면 내담자들은 이 그림들로 시각화하고, 의식적으로 몇 번 심호흡을 하여 이러한 새로운 자질들을 호흡하게 되면, 날마다 새로운 시각화를 만들어낼 수 있다. 내담자는 최소 일주일 동안 이 실습을 매일 완수하는 것이 좋다.

해석

이 새로운 이미지들은 내담자에게 긍정을 강화하는 시각화를 제공하여 자신에 대해 새롭고 긍정적으로 인식하게끔 한다. 사전·사후의 이미지를 통해 사후 개입에서 색상이 어떻게 밝아지고, 다양해지고, 유연해졌는지 알 수 있으며, 절망적인 세계관으로 인해 수축되었던 신체 부위로 호흡을 표시한 모든 기호들이 어떻게 돌아가는지를 보여준다. 수축한 마음으로 인해 어둡게 표현된 개입 전의 이미지는 밝고 다채롭고 유연한 이미지로 바뀌었으며, 이는 곧고 긍정적인 내담자의 신체에 대한 새로운 제스처를 보여준다. 이것은 더 곧게 직립하고, 더 평화롭고, 새롭고 긍정적으로 인지하는 지각상태를 의미한다.

사전·사후의 개입 이미지 비교

결론

이 장에서 소개한 네 개의 반복 가능한 시퀀스는 부정적인 인지와 경험이 심상 유도요법과 호흡을 통해 긍정적인 인지 이미지와 내적 대화로 변환되는 단계를 명확하게 보여준다. 이러한 창의적인 CBT 시퀀스는 내담자의 부정적이고 자기패배적인 인지 이미지와 행동을 긍정적인 이미지로 전환시키는 명확한 경로를 제공한다. 이는 개입 이전보다 개입 이후의 행동이 더 긍정적일 확률을 높여준다. 그러나 내담자는 자신이 그린 긍정적인 이미지로 후속 세션을 수행하는 게 중요하다. 그들이 새롭게 재명명한 인지 이미지에 따라 행동 변화의 가능성을 통합하려면, 세션 종료후 최소 일주일 동안은 선택한 인물로부터 받은 자질로 계속 호흡해야 한다.

5

사회기술훈련 및 행동실험

사회기술훈련

사회기술훈련은 CBT의 필수적인 부분이며, 그에 관한 활용법은 다방면에 걸쳐 기록되어 왔다. 자폐 스펙트럼 장애를 지닌 청소년들과 함께 했던 Laugheson과 Park (2014), Lineham (2015), Manning과 Ridgeway (2016)가 그 예가 된다. 모델링과 역할극은 향상된 사회적 기술을 관찰하고 실천할 수 있는 구체적인 감각 경험을 내담자들에게 제공할 수 있지만, 다른 창의적 치료법은 특히 12세 미만의 아이들과 관련되는 감각 기반 사회기술훈련의 기회도 풍부하게 제공한다.

학교 교육과정에는 정서의 인식과 이해를 목적으로 한 교사용 워크북이 있다. 이는 자아 인식, 자기책임, 사회적 인식, 책임 있는 의사결정 및 관계 맺기 기술을 발달시키기 위한 창의적 치료 기반의 반복 가능한 사회기술훈련으로 구성된다(Sherwood 2011). 아이들은 추상적인 인지적 사고나 단어보다는 직접적인 경험을 통해 훨씬 더 빨리 배운다.

이 장에서는 반복과 관찰이 가능하며, 더 나은 사회기술개발에 크게 이바지하는 몇 가지 창의적인 치료 개입에 대해 개략적으로 설명하겠다. CBT에 대한 창의적인 접근을 통해 무엇을 달성할 수 있는지에 관해, 점토 치료, 드라마 치료, 색채 치료의 사례를 통해 살펴보겠다.

나의 의견을 당당하게 말하기: 점토 치료 실습

자존감이 낮거나 우울증을 지닌 많은 내담자들은 자신의 서툰 사회적 행동들 중 특히 당당하게 말하지 못하는 면이 있다. 따라서 복잡한 상황에 처하게 되면 자기 자신을 위한 기회를 놓치거나 자신의 관점을 대변하지 못한다. 그들은 종종 자신을 희생자로 여기거나 자기 운명을 거의 통제할 수 없다고 느끼기도 한다. 당당하게 말하기 위해 장애물을 제거하는 것은, 스스로 결정을 내릴 수 있는 영역을 확보하는 데 필요한 작업 중 하나이며, 무력하기보다는 자기 삶을 통제할 수 있는 사람으로 느껴지게 한다. 점토는 장애물을 설명하는 데 있어서 매우 감각적인 방식으로 말할 수 있는 아주 구체적이고 관찰 가능한 수단이 되며, 어떤 특정 상황에서도 자신을 대변하는 것에 초점을 맞추는 집중력의 필요성을 몸이 경험하게끔 한다.

매체

- 분무기
- 옹기토를 담을 수 있는 밀폐용 양동이
- 손을 닦을 수건
- 손바닥만 한 공 모양의 점토 3개
- 점토를 자르거나 조각하는 도구

주의: 보석류, 특히 반지는 빼도록 한다.

방법

1단계: 장애물의 형태 표현하기

- 내담자가 자신의 목소리를 내지 못해 힘을 잃은 느낌을 받았거나, 삶에 영향을 미친 결정에 개입하지 못한 사건을 떠올려 보도록 한다. 사건의 세부사항과 상황, 그리고 다른 관련 인물들에 대해 질문하여 가능한 한 자세한 상황을 끌어내도록 한다.

- 내담자는 사건을 떠올릴 때 가장 불편하다고 느껴지는 신체 부위를 탐색한다.
- 내담자는 그 신체 부위에 두 손을 올려본다.
- 내담자는 그 신체 부위에서 어떻게 호흡이 멈추는지 느껴본다.
- 내담자에게 장애물의 모양을 제스처로 취해 보게 한다.
- 내담자는 그 장애물의 모양을 점토로 만들어 본다.

2단계: 장애물을 돌파할 수 있는 도구 만들기

- 내담자에게 장애물을 돌파하기 위해 어떤 도구가 필요한지 시각화하도록 요청한다. 예를 들어 그 도구들은 도끼, 검, 산소 아세틸렌 토치, 사슬톱, 드라이버, 끌, 삽, 칼 같은 것인가?
- 내담자가 점토로 그 도구를 만들어 보게 한다.

3단계: 장애물 돌파하기

- 내담자에게 도구의 소리와 몸짓을 사용하여 자신이 만든 도구를 장애물에 적용하게 한다… 예를 들어, 망치라면 '*bhh, bhh*…'라는 소리가 날 것이다. 내담자는 점토로 만든 망치로 장애물을 쾅쾅 치면서 이 소리를 반복한다.
- 점토로 만든 장애물이 부서지고 허물어지고 찌그러지거나, 반복 행위로 조각나버리는 것을 내담자가 경험할 때까지 반복해서 도구의 소리를 내고 제스처를 취하게 한다.
- 내담자에게 작업을 멈추거나 뒤로 물러서게 하고, 장애물이 망가진 후 남은 부분을 점토로 만들어 보게 한다.

4단계: 당당하게 말하기

- 내담자에게 그 상황에 있는 상대방에게 의견을 말하고 그들이 언급하지 않은 것을 큰 소리로 말하게끔 한다. 필요하다면, 그들이 말할 필요가 있었는데 전에는 말하지 못한 것을 표현하게끔 돕는다.

- 내담자가 힘 있게 자기 의견을 말하는 것을 느낄 때까지 상담자는 내담자를 직접 보면서 이 과정을 연습하게 한다.

이 과정은 아래에 설명되어 있다. 내담자는 자신의 복부 안에서 그 장애물을 발견하였고 망치로 그것을 부숴 버렸다. 그런 다음, 내담자는 특정한 업무 상황에서 자신들의 권리를 옹호하는 데 방해가 되는 장애물을 파괴했기 때문에 이제 당당하게 말할 수 있다는 것을 보여주는 별을 만들었다.

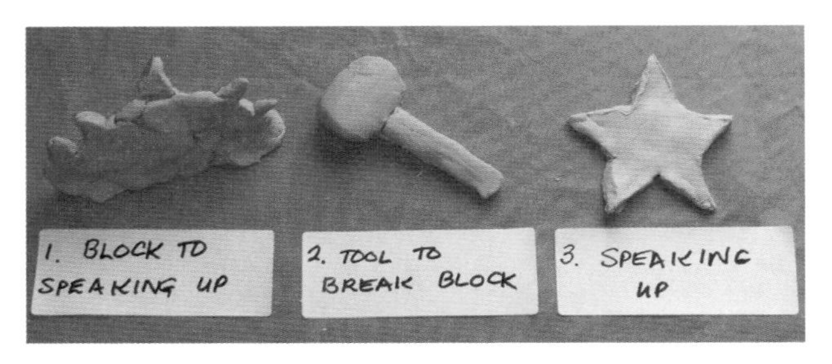

당당하게 말하기 시퀀스

이 과정은 특히 7세 이상의 아동과 청소년, 그리고 성인에게 적합하며, 개별 또는 소규모 그룹으로 진행될 수 있다. 그 도구가 장애물을 파괴할 수 있을 만큼 충분히 강한지 확인하는 것이 중요하며, 때로는 내담자가 장애물로 만들 물체를 상상하고 탐색하는 데 시간을 보내는 것도 좋다. 그 장애물은 벽돌, 돌, 나무 또는 금속인가? 장애물은 내담자가 선택한 도구의 적합성에도 영향을 준다. 장애물이 일부분만 파손된 경우에는 완전히 부서질 때까지 반복해서 도구를 사용해야 한다.

개입 이전에 표현된 장애물은 대개 너무 딱딱하고 오그라들어 있고 수축한 호흡을 보여준다. 마지막 점토작품은 개입 이후의 것으로, 자기 의견의 공간을 나타낸 것이다. 이제 점토는 대체로 더 크고, 볼록하고, 개방된 형태로 보이는데, 이는 말하지 못해 생겨난 스트레스가 해소된 것을 의미한다. 이러한 변화가 점토의 형태에서 나타나지 않는다면, 그다음에는 시퀀스를 반복하고 다른 도구를 선택해야 할 수도 있다. 내담자에게 치료 세션 후 일주일 동안은 매일 거울 앞에 서서, 그때 말하고 싶었지만 그러지 못한 것을 당당하게 말하도록 격려한다.

두려움에 직면한 자기 자신 보호하기: 치료적인 미술 실습

종종 내담자들은 그들 내면의 생각과 감정이 겉으로 드러나고 관찰 가능한 실재라는 것을 이해하기 어려워한다. 간혹 비탄, 고통, 슬픔 또는 다른 어떤 애매한 감정은 마치 안개에 둘러싸인 것처럼 자신의 내적 경험과 연결된다. 이 실습은 내담자가 비판을 통해, 다른 사람의 행동을 통해 또는 거절을 통해 공격당하는 몸의 경험을 구체적이고 행동적으로 체감하게끔 고안되었으며 매우 간단하다. 내담자는 본질적으로 상처를 경험한 존재다. 이러한 느낌을 초래한 사건이나 사고를 회상할 때 그들은 몸의 특정 부위에서 스트레스를 느낄 수 있다. 이 시퀀스는 특히 내면의 삶을 잘 표현하지 못하는 청소년, 저항적인 내담자, 내성적인 내담자와 남성 등에게 적용할 때 가장 효과적이다. 시퀀스의 목적은 그저 내담자가 자기 감정의 실체를 통찰하고 점토 치료에서 개발된 이미지와 시퀀스를 만들고 활용함으로써 특정 경험으로부터 자신을 보호하는 인식능력을 발달시키는 데 있다.

매체

- 가로 0.5 m, 세로 0.5 m 정도의 작업용 판자 1개
- 분무기
- 옹기토를 담을 수 있는 밀폐용 양동이
- 손을 닦을 수건
- 커다란 둥근 모양의 점토 3개
- 점토를 자르거나 조각하는 도구

주의: 보석류, 특히 반지는 빼도록 한다.

방법

1단계: 신체적 긴장감을 통해 상처 부위 포착하기

- 내담자는 감정적으로 화가 났거나 방해받았던 경험을 떠올린다. 내담자에게 그 상황의 정확한 세부사항들을 떠올려 보게 한다. 그들

이 다른 사람들과 나눈 이야기 그리고 다른 자세한 사항 등 실제적인 배경을 떠올린다. 내담자가 복잡한 그림을 그렸다면, 자신의 경험을 말할 때 신체 어느 부분이 가장 불편했는지 묻는다.

- 내담자에게 그 신체 부위에 손을 올려보라고 한다.
- 내담자는 그 신체 부위를 느껴본다.
- 내담자에게 그 신체 부위에서 호흡이 어떻게 멈추는지 느껴보라고 한다. 우툴두툴하고, 꼬이고, 잡아 뜯는 듯하고, 돌 같고, 구멍 같은 느낌인가?
- 그 신체 부위에서 진행되지 않는 호흡의 모양을 점토로 만들어 보게 한다.

이 모양은 수축한 호흡으로 인해 내담자의 몸에 저장된 스트레스를 보여준다. 대개는 수축하고, 옴폭하며, 간혹 점토 조각의 라인이 무너져 있기도 하다.

2단계: 상처를 만드는 힘/공격력 포착하기

- 내담자는 사건을 다시 떠올려 본다.
- 내담자에게 자신의 몸을 다시 느껴보라고 요청한다.
- 내담자에게 상처를 주는 그 힘을 느껴보게 한다.
- 그 힘의 모양을 매우 구체적으로 확인하게 한다. 그 힘은 화살, 망치, 바이스, 톱 등과 같은 것인가?
- 내담자가 상처의 원인이 되는 힘의 모양을 파악하면 그것을 점토로 만들어 보라고 한다.
- 완성 후, 내담자의 상처 옆에 그 힘의 모양을 둔다. 그 상처의 모양은 이러한 힘/공격의 성질에 의해 만들어질 수 있었으므로, 그 모양들은 서로 잘 맞을 것이다.

3단계: 공격으로부터 상처를 보호해 주는 경호원 만들기

- 내담자에게 자신의 상처 그리고 상처를 입힌 공격/힘에 대해 생각해 보라고 한다.
- 그 힘으로부터 상처 부위를 보호해 줄 경호원의 모습을 내담자와 함께 생각해 본다.
- 내담자에게 경호원을 점토로 만들어 보라고 한다.
- 내담자는 자신이 만든 경호원을 상처와 공격하는 힘 사이에 둔다.
- 내담자는 경호원의 몸짓을 취하면서 경호원의 힘을 강화한다.
- 내담자에게 경호원을 위한 소리를 만들어 그 소리를 크게 내보라고 하거나, 경호원을 위한 노래를 선택하게 한다.
- 내담자에게 경호원을 나타내는 색상을 만들고 경호원의 이름을 지어보게 한다.
- 내담자의 상처와 공격하는 힘 사이에서 내담자가 경호원의 제스처를 취한 채 경호원의 소리를 내거나 보호받는 느낌이 드는 노래를 재생한다.
- 특히 내담자가 특정 인물이나 사건에 취약하다고 느낄 때, 일상 속에서 그들을 보호하는 경호원을 시각화할 것을 권한다.

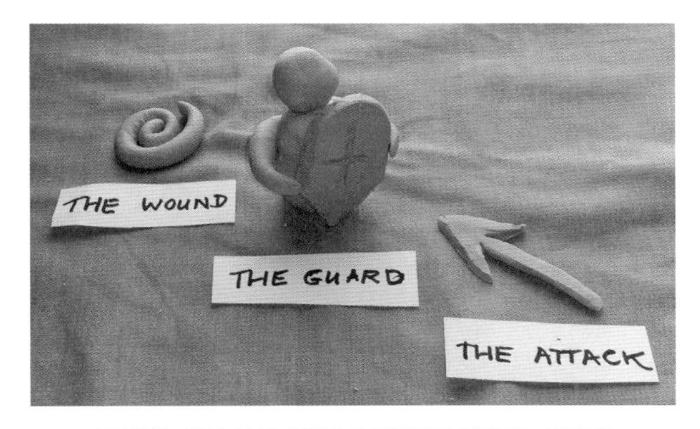

공격하는 힘과 상처 사이에서 내담자를 보호하는 경호원

경계 및 개인 공간 만들기와 유지: 드라마 치료 실습

드라마 치료에서 가져온 이 시퀀스는 내담자가 인간관계의 효과적인 경계를 이해하고 만드는 데 도움이 된다. 경계는 수동공격적인 반응을 피하고 단호하고 당당한 의견표명을 유지하기 위해 꼭 필요하다. 주변 사람들의 요구에 자신이 압도 당한다고 느껴지고, 피해자가 되고, 심지어는 자신에게 전혀 이익이 없는 상황에서도 거절이 힘든 경우를 많이 경험하는 내담자들에게 경계는 필수적이다. 경계가 약한 일부 내담자들은 분노로 부적절하게 반응하는 반면, 다른 내담자들은 내면이 무너진 채 그들에게 가장 중요한 것을 지켜내지 못한다. 이 두 가지 모두 서툰 대응방식으로, 여기서는 이러한 유형의 모든 내담자에게 강력한 경계와 명확한 사적 공간을 만들어 주도록 고안되었다.

이 실습은 경계가 어떻게 설정되는지 더 잘 보고 들을 수 있게 소리를 사용한다. 실습의 목적은 사람들이 내담자의 공간으로 걸어 들어오는 것을 소리를 통해 막아내고, 내담자가 자신의 사적인 공간을 지휘하는 느낌을 깨닫게 하는 데 있다. 공격적으로 반응하는 대다수 이유는 다른 사람의 말이나 행동이 그들의 사적 공간을 침해했다고 느끼기 때문이다.

방법

1단계: 내담자와 상담자는 약 3 m 정도 떨어져서 마주한다.

2단계: 상담자는 '*Oooo…*'라는 소리나 아무 모음 소리를 내면서, 내담자에게 눈을 감고 상담자를 향해 걸어오다가 둘이 점점 가까워짐에 따라 소리를 멈춰야 한다는 생각이 들면 멈추라는 말을 하라고 요청한다. 내담자는 모음 소리가 그들을 멈추게 하지 않는다는 것을 알게 될 것이며, 그들은 상대방의 사적 공간으로 들어갈 때까지 계속해서 그 사람을 향해 걸어갈 것이다.

3단계: 1단계와 2단계를 반복하되 이번에는 자음 *D*: '*D, D, D*…'를 반복한다. 그러면 내담자는 이 자음 소리를 차단음으로 경험하면서 상대방의 사적 공간 밖에서 제대로 멈출 것이다.

4단계: *O*와 *D*를 활용한 이 실습을 반복함으로써 내담자는 사적 공간을 유지하기 위한 두 시도의 차이점을 체감하게 된다.

5단계: 내담자에게 자음 *D*를 사용하여 마치 벽돌을 쌓듯이 그들을 완전히 둘러싼 보호용 지붕을 만들게 한다. 상담자와 내담자는 이 작업을 두 달 동안 매일 한다. 이 작업은 하루에 약 30초 정도 소요된다. 향후 적대적이거나 원치 않는 접근이 있을 시, 내담자는 보호벽을 시각화하면서 마음속으로 '*D, D, D*…'를 계속 반복한다.

후속 조치

행동 활성화 실험을 설정하여, 원하지 않거나 적대적인 사람들이 내담자의 사적 공간을 침해한다고 느낄 때, 이 '*D, D, D*…'가 효과가 있는지 확인해 볼 수 있게 한다.

다음 사례 연구는 저자가 이 실습을 중심으로 설계할 행동실험의 전형적인 유형을 보여준다.

레베카는 열여섯 살이고, 매우 아름다우며, 이제 막 대형 소매점 계산대에서 일자리를 얻었다. 그녀는 정기적으로 전화번호를 묻는 남성들을 자신이 거절하지 못한다는 느낌을 받고 있다. 그녀는 퇴근 후 자신과 데이트를 하기 위해 원치 않는 전화를 거는 사람들에게 괴롭힘을 당하고 있다. 이는 그녀가 계산대에서 일할 때 적어도 하루에 한 번, 때로는 하루에 두 번 일어나는 일이다. 레베카는 직장을 그만두고 싶지는 않지만, 전화번호를 물어오면 '노(NO)'라고 말할 정도의 충분한 자신감은 갖고 싶다.

일주일 동안 레베카는 계산대에서 근무 중에 계속되는 데이트 요청 횟수와 계속 걸려오는 전화 횟수를 기록한다. 다음 주에는 출근 전 아침에 '*D, D, D*…'를 반복적으로 소리 내고, 그녀 주위의 보호벽을 상상하라는 지침에 따른다. 직장에서 남성 고객을 응대하는 그녀는 자기 주변의 보호벽을 시각화하면서 '*D, D, D*…'를 묵묵히 반복한다. 첫째 주가 끝날 무렵, 원치 않는 남성들이 레베카에게 접근한 횟수는 주당 9명에서 2명으로 떨어졌다. 3주 동안 경계 전략을 실행한 후, 그녀는 업무 중에 원치 않는 접근을 더는 겪지 않게 되었고 자신의 연락처를 단 한 명의 남성에게도 주지 않았다.

치료를 통해 만나는 많은 내담자가 이 빈약한 사적 경계를 특징으로 하므로, 이러한 행동 활성화 과정이 적용될 수 있는 상황은 광범위하다. 이것이 그들의 유일한 문제는 아니지만, 내담자가 보이는 광범위한 문제를 악화시키는 것 중 약한 경계가 매우 큰 역할을 하는 경우가 많다.

행동실험

여기서 행동실험의 목표는 행동과 감정을 관찰 가능한 구체적 행위로 전환하는 것으로, 당연히 이것은 집중적으로 적용되고 활용되는 창의적 치료법의 큰 강점 중 하나이다. 잘 수행하면, 내담자가 자신의 행동 패턴을 알아차리고 자신의 행동을 스스로 관리하고 파괴적인 행동에서 건설적인 행동으로의 변화를 의식하고 배울 수 있는, 그들의 일상에 적용 가능한 구체적인 도구가 된다.

자기자원 및 자기위로 시퀀스: 점토 치료

'결핍'의 예를 들어 보자. 많은 이들이 주변 사람들의 지나친 관심과 도움에 대한 요구가 충족되지 않으면 스스로 진정하지 못하고 두려움과/또는 짜증을 낸다. 이것은 특히 그들의 대인관계에 파괴적으로 작용하고, 최악의 경우에는 과도한 요구로 인해 주변인들이 피하게 되면서 훨씬 더 결핍되고 고립된 상황을 맞는다. 그런 사람들은 친구, 지인들에게 시간, 우정, 도움을 압박하고 요구한다. 이 시퀀스 과정은 내담자가 과한 요구와 현실적인 요구를 구분할 수 있게 돕는 것으로 시작한다. 사람들의 보디랭귀지를 내담자가 읽을 수 있게 도와주면, 그들은 사람들이 기꺼이 도와줄 때와 요구가 과하다고 느낄 때를 구분하여, 사람들을 피하지 않아도 되며, 성가심을 받아주거나 골칫거리를 떠안지 않아도 된다.

이 실습은 내담자가 다른 사람의 시간과 관심을 지나치게 필요로 할 때, 그리고 상대방의 언어와/또는 비언어적 단서를 통해 자신의 요구가 과한 것으로 경험되고 있다는 인식이 늘어갈 때, 자기위로와 자기자원을 지닐 수 있도록 고안되었다.

매체

- 가로 0.5 m, 세로 0.5 m 정도의 작업용 판자 1개
- 분무기
- 옹기토를 담을 수 있는 밀폐용 양동이
- 손을 닦을 수건
- 최소 2 kg의 점토

주의: 보석류, 특히 반지는 빼도록 한다.

방법

1단계: '결핍'의 느낌 만들기: 친구나 지인에게 과도한 관심을 요구하는 행위를 유발하는 이 결핍의 모양이나 제스처를 점토로 만들어 본다.

2단계: 내담자가 그들의 삶에서 부족하다고 느끼는 자질들을 찾아본다. 그들은 보통 친구들과 지인들이 기꺼이 주려고 하는 것보다 더 많은 것을 다른 사람들에게서 얻으려고 한다. 그러한 자질들을 보여주는 선택용 샘플로는 따뜻함, 관심, 재미, 사랑 등이 있다.

3단계: 내담자는 이렇게 각 자질을 대표하는 전형적인 인물, 장소, 동물 또는 자연환경을 확인한다. 나열된 각 자질을 자신의 몸으로 체험하기 위해 내담자는 다음과 같은 시퀀스를 수행한다.

- 당신이 선택한 이미지로부터 그 자질을 받는다고 상상해 보세요.
- 공기가 그 자질로 가득한 것처럼, 세 번 이상 깊게 호흡합니다.
- 해당 자질의 색상을 시각화합니다.
- 그 자질에 맞는 제스처[1]를 취합니다.

---

1) 예를 들어, 만약 그 자질이 사랑이라면, 방을 걸어 다니면서 팔로 포옹하는 몸짓을 취할 수도 있다. 특정 감정 상태가 반영된 다양한 신체 동작을 인식하는 것은 내담자에게 매우 중요하다. 사랑, 따뜻함, 기쁨 또는 양육과 같은 긍정적인 자질에 초점을 맞추면서 사랑받지 못함, 거절당함, 혼자 있음, 슬픔과 두려움을 느낄 때 그들의 몸짓이 어떻게 달라지는지 경험할 필요가 있다.

- 그 제스처로 방을 돌아다니거나 그 자질을 보여주는 노래를 재생하면서 그 특정 자질에 맞는 소리를 내 보세요.
- 그 제스처를 점토로 만들어 봅시다.

4단계: 이러한 모든 자질을 보여주는 원형(archetype)을 하나의 조각으로 만들기

- 모든 자질이 점토로 만들어졌으면, 이제 그것들을 느껴보세요.
- 이러한 자질들을 모두 보여주는 제스처를 취해 봅니다.
- 후속 프로젝트로, 가정, 학교, 또는 시간이 충분하다면 상담 세션에서 이러한 모든 자질의 원형을 하나의 큰 점토 조각으로 만들어 봅니다.

자기자원 및 자기위로 시퀀스

하나의 제스처로 모든 자질을 보여주는 작품

후속 조치

내담자를 위한 행동 활성화 지침: 점토로 만든 자질들을 집으로 가져가서, 결핍을 느낄 때마다 그 자질들로 호흡하면서 들이마시고, 제스처를 취해보고, 소리 내는 과정을 반복한다. 이것을 최소한 매일 또는 극도의 결핍감이 들 때마다 실행한다. 이 실습을 하기 전에 친구나 지인에게 도움을 청하거나 그들을 집에 부른 횟수를 차트로 기록한다. 1주, 2주 또는 3주 동안의 행동개입 후 친구와 지인들에게 도움을 청한 횟수를 차트에 표시한다. 이는 과도한 관심을 요구하는 행동이 자기위로와 자기자원을 통해 줄어드는 횟수를 보여준다. 행동개입 이전의 초기 횟수가 여섯 번이었다면, 1주가 끝날 때는 하루에 세 번, 2주가 끝날 때는 하루에 두 번, 3주가 끝날 때는 하루에 한 번 이하로 줄이는 것을 목표로 한다.

이는 내담자의 삶에 힘의 감각을 키우는 지침이자 내담자의 행동을 형성하는 강력한 자원 시퀀스로 6세 이상이라면 누구나 할 수 있다. 점토로 각각의 자질을 만드는 것은 내담자가 행동 활성화를 연습하는 데 기반이 되는 강력하고 새로운 이미지를 만드는 것이므로 유익하다. 다 완성한 원형(archetype) 점토 조각은 가능하면 가마에 구워서 보관하는 게 좋다. 그러면 내담자는 매일 또는 필요에 따라 자기자원을 활용하고 자기위로의 능력을 눈에 띄게 향상시킬 수 있다.

고통을 관리하는 시퀀스: 드라마 치료 실습법

이것은 내담자가 고통을 느끼는 어떤 상황에서 자기관리에 도움을 주는 유용한 실습법이다.

매체

- 가로 0.5 m, 세로 0.5 m 정도의 작업용 판자
- 분무기
- 옹기토를 담을 수 있는 밀폐용 양동이
- 손을 닦을 수건

- 최소 2 kg가량의 점토
- 점토를 자르거나 조각하는 도구

방향

1단계: 내담자는 10점 만점의 평가 척도를 개발하여 고통의 수준을 평가한다.

2단계: 그런 다음 고통의 부위와 그들의 몸을 공격하는 고통의 힘이 어떻게 경험되는지 느껴본다. 그 고통은 찌르는 듯한가, 아니면 베는 듯한가, 찢어지는 듯한가, 욱신욱신 쑤시는가, 타는 듯한가, 꽉 쥐는 듯한가, 갉아먹는 듯한가? 그 고통의 모양을 점토로 만들어 본다.

3단계: 내담자는 고통의 자질을 느끼고 그 고통이 자신을 공격하는 것을 경험하는 듯한 자세를 취하고 소리를 낸다. 이어서 공격하는 힘의 모양을 점토로 만들어 본다.

4단계: 그런 다음 자신과 고통 사이에 둘 수 있는 방패 이미지를 시각화하고, 심상유도 요법을 통해 자신을 공격하는 고통의 힘으로부터 자신을 지켜주는 보호물을 그림으로 그리거나 점토로 만든다. 이 사례는 점토로 만든 보호물을 보여준다.

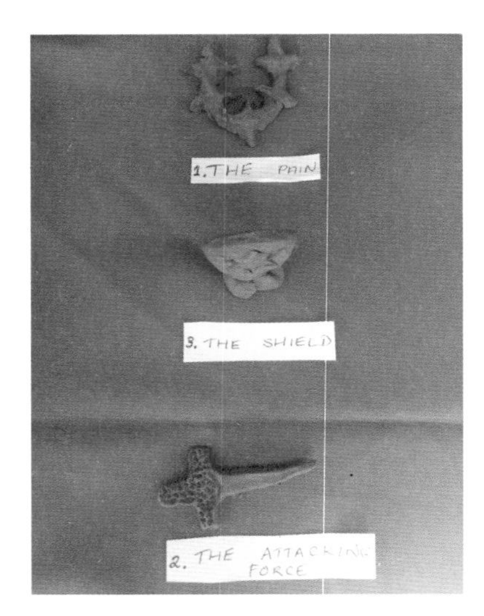

고통으로부터 내담자 보호하기

5단계: 내담자는 손을 들어 자신을 공격하는 고통의 힘에 맞서는 제스처를 취하고, 고통스러워하는 신체 부위를 공격하는 소리와는 반대되는 소리를 낸다. 이렇게 내담자는 대항하는 소리와 제스처를 5분간 반복한다. 예를 들어 공격하는 고통의 힘이 마치 '*K, K, K*…'라는 소리를 내면서 몸을 찌르는 듯이 경험된다면, 내담자는 '*Arrh, Arrh*'와 같은 시작음으로 동작을 반복하면서 그 힘을 역전시킨다[『*Philophonetics*』의 저자 예후다 타가(Yehuda Tagar)와의 대화에서 인용].

5분 후, 내담자에게 경험된 고통의 강도를 평가하도록 한다. 그 고통은 줄어들었는가, 변화가 없는가, 아니면 심해졌는가? 내담자 대부분은 고통이 줄어드는 것을 경험한다. 고통이 줄어들면 이 행동 실습을 내담자의 '고통을 관리하는 기법들을 모아 놓은 공구함'에 추가로 넣는다.

인식과 느낌이라는 보이지 않는 삶을 가시화하는 것은 이러한 시퀀스의 핵심으로, 내담자는 자신의 삶에서 인지적이고 정서적인 역동성을 수월하게 관찰하고 변경할 수 있고, 그 행동 결과들은 그들의 삶을 더 긍정적이면서 수월하게 만들어 준다.

불안 관리하기: 행동실험 시퀀스

저자는 불안을 관리하기 위한 이러한 창의적인 행동-기반적 시퀀스를 내담자들과 함께 시험해 보았다. 상담 세션 초기에 설정한 10단계의 불안 척도에 따라 극도의 불안감은 10점, 보통은 5점, 매우 낮음은 1점 수준으로 하여 내담자가 자신의 불안을 평가하도록 한다. 그런 다음, 내담자는 아래에 소개된 각 활동을 시도하되, 하나의 활동에서 5분간 불안이 지속되면 다음 활동을 한 번에 하나씩 시행한다. 실습 전·후에 내담자들의 불안감을 평가한 다음, 두 개의 측정값을 기록하고 치료 일지에 날짜를 적는다. 이 행동실험의 목표는 어느 것이 특정 내담자의 불안 수준을 낮추는 데 최대의 효과가 있는지 알아보는 것으로, 각 실습은 일부 내담자에게 불안을 감소시키는 효과가 있다.

행군하기

내담자는 '나는 여기 있다, 나는 안전하다, 나는 보호받고 있다'라는 말을 계속 반복하면서 리듬에 맞춰 행군한다. 실제로 행군하면서 그 자리에서 발을 올렸다 내렸다 하는 것은 내담자가 그들의 발에 필요한 리듬과 압력을 발달시키는 데 도움이 될 것이다.

스쿼트 하기

내담자는 발목에 부담을 느낄 정도로 반쯤 쪼그려 앉기를 반복하면서 '나는 여기 있다, 나는 안전하다, 나는 보호받고 있다'라는 말을 반복한다. 발목에 압력을 느낄 수 있도록 최소 10회 이상의 스쿼트를 해야 한다.

발 구르기

내담자가 양쪽 발을 가장자리 바깥쪽으로 구르는 것은 당겨지는 느낌을 전달하며, 이 느낌은 내담자를 지금 현재에 다시 머무르게 한다. 그리고 내담자는 '나는 여기 있다, 나는 안전하다, 나는 보호받고 있다'라는 말을 반복하면서 3분 동안 그 자세를 유지한다.

달리기

내담자는 5분 동안 달리기를 하거나, 러닝머신이나 크로스 트레이너 위에서 5분간 달린다. 이러한 행동실험들의 결과를 바탕으로, 내담자는 자신의 불안을 가장 효과적으로 관리하는 데 도움이 되는 방법을 명확히 알게 된다.

결론

사회기술훈련과 정신건강교육은 오늘날 상담의 중심으로, CBT에 대한 이러한 창의적인 접근법은 새로운 기술을 연습할 수 있게 하고, 내담자를 시각적이고 즉각적으로 관찰할 수 있게 하는 다양하고 구체적인 매체를 제공한다. 이는 CBT에서 언어적인 사회기술훈련 과정에 중요한 보조 도구가 된다. 또한, 행동실험을 제공하는 설계도 가능한데, 이것은 내담자가 원하는 행동 변화의 촉진 과정을 자체적으로 검증할 수 있게 해준다. 특히 아동과 청소년은 사회기술의 구체화를 통해 큰 혜택을 받을 수 있고, 그중에서도 청소년은 증가하는 자기 자율성에 대한 욕구를 발전시킬 기회가 되므로 이를 즐겁게 수행한다.

6

인지 재구조화와 재명명

소개

인지 재구조화(Cognitive Restructuring, 이하 CR)는 인지적 왜곡으로 일컬어지는 비이성적 또는 부적응적 사고를 구분, 분석 및 거부하는 확립된 상담학습과정이다. 이러한 불합리한 사고유형의 예로는 주지화, 이분법적 사고, 주술적 사고, 과잉 일반화, 파국화, 낙인찍기, 감정적 추론, '절대적' 사고, 개인화, 속단하기 및 선택적 부정심리 필터 사용하기 등이 있다(Gladding 2009). 이렇게 본질적으로 결함이 있고, 비이성적이며, 오해하고, 부정적인 정신 상태는 많은 정신 건강 문제를 만들고 지속시킨다. 1960년대에 Beck (1997)은 부정적인 사고 패턴에 초점을 맞춘 초창기 치료사 중 한 명이었는데, 그는 우울증을 앓는 내담자들과의 세션에서 이 부정적인 사고 패턴이 주요 문제임을 인식했다. 그는 부정적인 사고 패턴을 긍정적이고 이성적인 사고 패턴으로 바꾸는 일련의 과정을 인지 재구조화라고 명명했다. Albert Ellis (1961)도 그의 합리적 정서치료(Rational Emotive Therapy, 이하 RET)에서 인지 재구조화를 열렬히 지지하였다.

인지 재구조화의 효과는 다양한 정신 건강 문제를 연구한 많은 연구진에 의해 제대로 입증되었다. 여기에는 폭식증이 있는 내담자를 대상으로 한 Cooper와 Steere (1995), 불면증을 겪고 있는 내담자를 대상으로 한 Harvey, Inglis와 Espie (2002), 사회적 불안을 겪고 있는 내담자를 대상으로 한 Hope 등(2010), 그리고 우울증을 겪고 있는 내담자를 대상으로 한 Kanter, Schildcrout와 Kohlenberg (2005), Martin과 Dahlen (2005)이 포함된다.

인지 재구조화는 생각 정리하기, 심상 유도요법, 인지적 평가, 비용–편익 분석, 사고 분석, 인지적 시연, 낙인찍기 해제를 포함한 많은 전략을 사용한다. 그러므로 인지 재구조화는 다음에 이어지는 창의적인 치료 시퀀스와 매우 잘 양립할 수 있다. 인지 재구조화는 부정적이고 무력화하는 이미지와 사고에서부터 긍정적인 힘을 주는 이미지와 사고에 이르기까지 내담자가 자신의 세계에 대해 인지적 인식을 재구조화하는 데 초점을 맞추고 있다.

죄책감에 대한 인지적 관점 만들기: 자비의 삼각형

부정적으로 판단하는 자동적 사고와 자기질책의 구조를 자기수용과 자기이해의 긍정적인 생각으로 재구성하는 인지 재구조화는 아래의 시퀀스로 설명되며, 이를 자비의 삼각형(compassion triangle)이라고 한다. 이는 동작, 소리, 점토를 포함한 많은 창의적 치료법과 결합하여 관찰 가능한 행동 그리고 인식 수준과 연관되어 인지 재구조화의 과정을 수월하게 한다.

죄책감은 현재를 살아가는 것을 방해하고 '완벽하지 않다면, 나는 실패자야'와 같은 이분법적 사고와 '이게 틀렸으므로 내가 한 모든 것도 다 틀린 거야'와 같은 과잉 일반화를 포함한 많은 왜곡된 인지적 사고방식을 지속시킨다. 또 다른 예로는, '나는 가치 있는 일을 한 적이 없어. 나는 항상 실패자야'와 같은 생각으로 내담자가 자기비난을 하고 긍정적인 면을 외면하도록 어떤 사건이나 일을 개인화하는 것이다. 모든 것은 그래야만 하는 것, 그랬어야만 했던 것에 의해 오염된다. 내담자는 특정 기준에 맞춰 살지 않는다고 비난하면서 내면을 지배하는 비합리적 목소리, 그리고 그들의 어려움과 강점을 이해하는 순종적이지만 합리적인 목소리 사이에 갇혀 있다고 느낀다. 그들은 자신의 정신 속에 있는 하나의 목소리에서 또 하나의 목소리로 갈아타거나 비난과 죄책감의 목소리에 갇혀 있을 수 있다. 그 어떤 경우도 휴식이나 내면의 평화는 없다.

Tagar (1996)에 의해 개발된 자비의 삼각형은, 우리 각자의 내면에 있는 비합리적인 비평가나 검열관을 동정적이거나 이해심 있는/합리적인 목소리와 분리하는 데 효과적인 프로세스다. 이 시퀀스는 죄책감, 자기비난, 자기

판단으로 고통받는 내담자들과 함께 작업하기에 가장 좋다. 자비의 삼각형은 자책감과 죄책감을 지속시키는 사고 패턴을 자기수용으로 바꿔주는 정확한 인지 과정을 보여준다.

매체

- 분무기
- 옹기토를 담을 수 있는 밀폐용 양동이
- 손을 닦을 수건
- 최소 2 kg가량의 점토
- 점토를 자르거나 조각하는 도구

방법

자비의 삼각형을 시작하려면 내담자는 '나는 어머니가 이사할 때 도와드리지 못했으니까 나쁘고 행복할 가치가 없어', '좋은 딸이 되지 못해서 죄송스러워'처럼 죄책감이나 실패를 느끼게 하는 특정 인물과 연관된 구체적인 사례를 떠올릴 필요가 있다. 내담자의 몸에서 혼돈/스트레스가 경험되는 위치가 이 과정으로 들어가는 지점이 된다.

삼각형의 각 꼭짓점은 죄책감과 자책감에 짓눌린 사람이 경험하는 두 가지의 주요한 인지적인 지점을 나타낸다. 이는 아래와 같이 도표로 설명되어 있다. 내담자는 '죄인(Guilty one)'이 되고, 하나의 목소리는 '검열관(Judge)', 또 하나의 목소리는 '자비로운 자(Compssionate one)'로, 내담자가 선택할 수 있는 두 개의 인지적인 입장을 보여준다.

쿠션이나 A4 용지로 바닥 위에 이 삼각형을 표시한 다음 '죄인'과 두 개의 위치를 식별하여 내담자가 상황을 구체적으로 볼 수 있게 한다. 이를 통해 내담자는 그들의 인지적인 옵션과 선택사항을 더 명확하게 볼 수 있다.

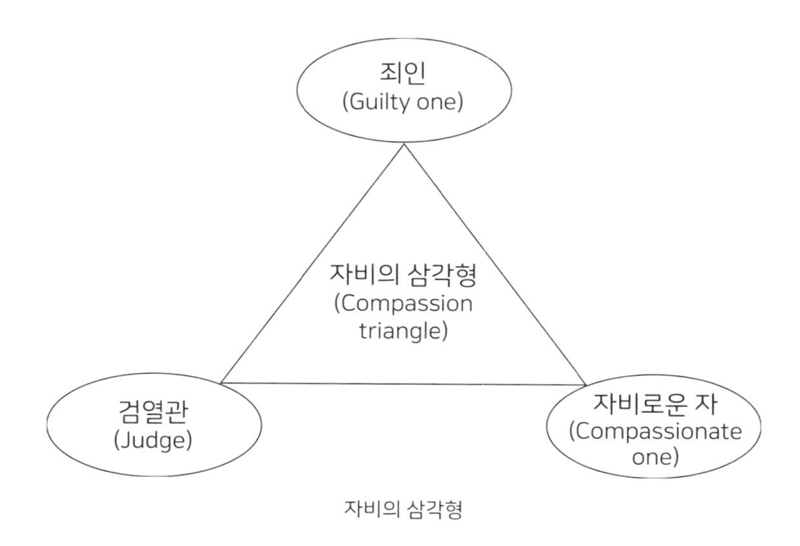

자비의 삼각형

1. *죄인*: 첫 번째 입장은 '죄인' 또는 반복되는 죄책감과 실패의 사고와 연관된 고통 및 트라우마의 메시지를 전달하는 곳으로, 왜곡된 인지적 사고가 자리하고 있다. 죄책감을 지닌 사람은 자기검열과 낮은 자존감에 갇힌 채 파괴적인 인지적 사고의 사이클에 휘말리고 만다.

2. *검열관*: 자비의 삼각형에서 두 번째 입장은 검열관과 비난으로부터 손가락질당한 사람이 반응하는 부분으로, 판결이나 검열관의 인지적인 목소리가 만들어지는 곳이다. 이를 의식하지 못하더라도, 인지적 판단의 목소리가 강한 성인 내담자들은 살아오면서 많은 판단을 한 경우가 대부분이다. 검열관은 아이들에게 항상 비난과 판단을 처음으로 각인시키는 다른 중요인물이나 타인들, 부모, 형제, 선생님 또는 기타 권력을 쥔 자들의 목소리를 낸다. 반복되는 공격 끝에 결국 아이는 '내 탓이야'라는 검열관의 목소리를 내면화하고 어른이 되어서도 이 메시지를 계속 작동시킨다. 검열의 범위는 검열관의 수, 그들의 정신적 키, 그리고 검열관이 인지적 틀에서 말할 때 내담자의 어조에서 드러나는 비난의 정도로 측정된다. 어둠, 파괴, 부정성 그리고 박탈감의 원형적 표현은 인지적 과정에서 이 입장에 따라 설명된다.

3. *자비로운 자*: 세 번째 입장은 자비심과 이해심을 지닌 내담자에 관한 것이다. 이곳은 긍정적인 자기치유의 자질을 위한 저장고다. 내담자는 이 저장고를 자기치유에 필요한 자질로 활용할 수 있다. 이 입장에서, 아이의 취약한 정신에 각인되어 온 모든 공감의 목소리는 성인을 위한 자원으로 받아들여질 수 있다. 전형적으로, 이것은 긍정적인 사고와 심상을 통해 접근할 수 있는 자양분과 치유의 자원이 있는 장소로, 궁극적인 선과 자비의 위치가 된다.

자비의 삼각형은 다섯 단계로 이루어져 있다. 이 시퀀스 과정은 Tagar (1996)가 정립한 본래 개념을 Sherwood가 점토 치료에 적용한 것으로, 다음과 같이 설명된다:

1단계: 죄인/나쁜 사람의 제스처

내담자는 자신의 특정 경험을 자세히 떠올릴 때 느껴지는 죄책감과 자책감을 묘사한다. 내담자가 설명을 마치면, 그 경험을 회상할 때 어느 신체 부위에서 긴장감이 느껴지는지 감지해 보라고 한다. 어떻게 호흡이 멈추는지 그려보면, 내담자의 몸에 그 긴장감이 어떻게 저장되어 있는지를 알 수 있다. 바위, 실뭉치, 매듭, 구멍, 또는 꼬인 밧줄과 같은 것이 그려졌는가? 이곳은 트라우마의 장소, 죄책감, 무능함, 절망과 무가치함을 느끼는 곳이다. 내담자에게 죄라고 판단되는 느낌의 모양을 점토로 만들어 보게 한다.

죄인

이곳은 비난받는 자/죄인의 트라우마가 자리한 곳이다, 바닥에는 죄인이라는 표시가 있고 점토 조각물은 이 A4 용지 위에 놓여 있다. 이를 통해 내담자는 자신의 트라우마에 대해 거리를 두고 바라볼 수 있다. 치료사와 내담자는 나쁜 감정/죄책감을 10개의 척도로 만들어서 평가한다. 예를 들어, 10은 엄청난 죄, 0은 무죄, 5는 중간 정도의 죄가 될 것이다. 이제 죄책감을 끌어내고 유지하는 자동적 사고를 되돌아볼 차례다.

2단계: 검열관의 입장에 대한 통찰력 키우기

2단계에서 상담자는 내담자에게 비난과 검열관의 목소리를 내는 입장에 서서, 죄인을 향한 분노, 판단, 비난의 목소리를 느껴보라고 한다. 내담자는 죄인에 대해 부정적으로 비난하며 생각한 것을 큰 소리로 말한다. 내담자는 '당신은 남편의 책임을 다하지 않았기 때문에 나빠', '결혼은 영원한 것이니까 당신은 그 어떤 이유로도 이 결혼을 끝낼 권리가 없어', '당신은 좋은 사람이 되지 못했으니 사회는 당신을 거부할 거야'와 같은 인지적 왜곡들과 이런 식의 다른 인지적 왜곡들을 검열관의 목소리로 크게 말해 들릴 수 있게 한다.

내담자가 이러한 인지적 왜곡과 판단을 대변하는 검열관의 목소리를 다 내고 나면, 내담자가 뒤돌아보았을 때 거기에서 비난에 동조하던 사람들이 누구인지 말해본다. 그들의 삶에는 대개 부모, 형제, 선생님 등의 중요한 검열관 집단이 있을 것이다. 상담자는 내담자에게 그 검열관들의 키가 얼마나 되는지 물어본다. 검열관의 수와 키는 자책감과 죄의 크기를 나타낸다. 키가 큰 검열관이 많으면 대개 자비의 삼각형이 많이 필요할 것임을 암시한다. 내담자에게 이 검열관의 목소리를 몸짓으로 표현하고 점토로 만들어 보게 한다. 이러한 부정적인 목소리에 내재한 인지적 왜곡(일반화, 이분법적 사고, 개인화 및 긍정의 배척)을 내담자가 알아차릴 수 있도록 몇 가지

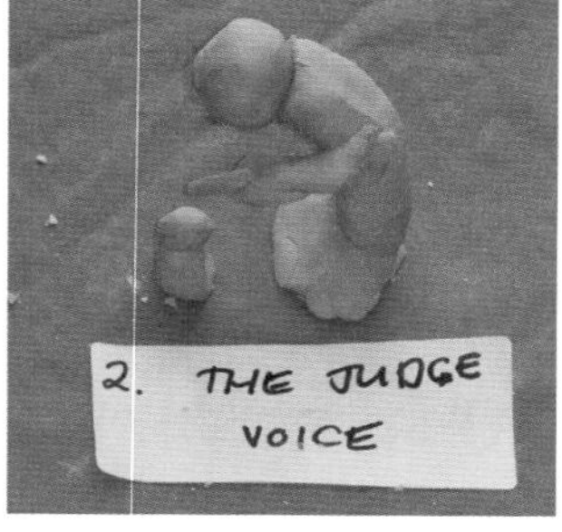

죄인의 목소리와 검열관의 목소리

가능성을 열어놓는다. 이 지점에서, 내담자는 죄인에게 모든 부정적인 메시지를 보내는 검열관을 점토로 만든다. 그리고 점토로 만들어진 검열관이 죄인을 향하도록 배치하고 '검열관의 목소리'라는 라벨을 붙인 A4 용지 위에 놓는다.

3단계: 합리적이고 논리적인 인지적 사고의 자비로운 목소리와 긍정적인 목소리 이해하기

이제 내담자에게 인간의 한계를 수용하고 비난보다는 설명과 합리성으로 인간의 나약함을 이해하는 온정적인 이해의 목소리를 들려달라고 요청한다. 자신의 삶에서 이런 목소리를 낸 적이 없는 내담자는 내면에서 이 목소리를 느끼지 못할 수도 있다. 그럴 때는 이 과정을 멈추고 계속해서 그들의 삶에서 자비로운 모습을 찾는 게 꼭 필요하다. 내담자는 자신을 이해하고 소중하게 여기는 선생님, 친구, 중요한 어른 중 한 명의 목소리를 찾으면 된다. 그 인물을 찾을 수 없다면, 테레사 수녀, 넬슨 만델라, 관음, 크리슈나, 예수 그리스도나 성모 마리아와 같이 내담자가 자비로운 이해를 받을 수 있고, 그들의 행동을 이해하고 수용하는 입장에서 그들과 대화할 수 있는 원형적인 자원을 활용한다. 내담자는 자신의 죄인과 직면하여 '나는 당신이 왜 그렇게 했는지 이해합니다. 그것은 [해당 내담자 사례의 원인을 적용함] 때문이지요. 그 이유가 당신을 나쁜 사람으로 만들 수는 없습니다…'라고 자신을 이해하는 위치에서 말하는 것으로 이 세션을 시작한다.

내담자가 말을 마치면, 상담자는 내담자에게 뒤돌아서서 누가 서 있는지 살펴보라고 한다. 거기에 서 있는 사람의 키와 인원수 역시 내담자의 자비와 이해의 자원을 나타내는 것이므로 매우 중요하다. 이 과정은 정말로 내담자가 자신을 향한 자비와 이해의 위치로 가게 하고, 자기 자신을 합리적이고 균형적인 시각으로 바라볼 수 있는 여지를 만들어 준다. 그런 다음 내담자는 인간이기에 가질 수밖에 없는 그들의 한계를 이해하고 수용하는 느낌을 몸짓으로 나타낸 후 이를 점토로 만들어 본다. 이제 내담자의 행동에 관한 인식을 논의하고 재구조화할 차례로, 이는 내담자가 긍정적이고 자기수용적으로 자신의 힘을 북돋울 수 있게 한다.

그들은 이제 검열관의 입장이 어떤 잘못된 논리로 특징지어 졌는지 이해하게 될 것이다. 내담자에게 자기수용을 나타내는 몸짓을 점토로 만들게 한 후 이를 '자비로운 목소리'라는 라벨을 붙인 용지 위에 올려놓는다.

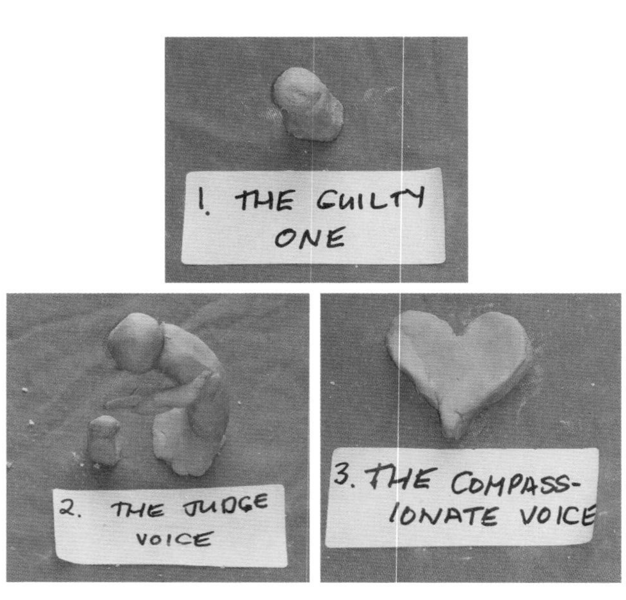

죄인과 두 개의 목소리/선택사항

4단계: 힘 북돋우기 시퀀스 – 검열관 다루기
내담자는 이제 다시 죄인/비난받는 자의 입장으로 돌아가 검열관으로부터 받은 비난이 어떻게 자신을 공격하는지 파악한다. 그것은 마치 칼로 찌르기, 주먹질하기, 발로 차기, 찰싹 때리기, 숨 헐떡이기, 심장을 검으로 찌르는 듯한 공격인가? 자신을 공격하는 힘들을 파악했다면, 내담자에게 몸짓과 소리를 사용하여 그 힘을 물리치도록 격려한다. 그 힘이 칼이나 검이라면 그것을 뽑아내는 몸짓으로 소리 내면서 창밖으로 던져 버린다. 상담자는 내담자가 힘/공격을 몸에서 뽑아내 창문 밖으로 던지면서, '*nnn*'처럼 얕은 숨에서 '*Uuuhh*…'와 같이 큰 숨으로 심호흡할 수 있게 유도한다. 검열관에게서 받은 공격의 힘을 제거한 후 내담자는 반드시 최소 3회 이상은 심호흡을 해야 한다. 그 공격이 찰싹 때리거나 주먹질을 하는 경우라면 밀어내 버린다.

이 과정이 다 끝나면, 내담자는 돌아서서 얼마나 많은 검열관의 목소리가 여전히 존재하고 그들의 키가 얼마나 큰지 느껴본다. 검열관들의 원래 모습이 변하는 것에 따라 내담자의 사고가 어떻게 바뀌는지 확인할 수 있다. 만약 인지기술훈련이 성공적이고 점토 작업 과정을 통한 심상 유도요법이 효과적이었다면, 이 시퀀스 과정에서 보이는 검열관의 목소리, 인원수와 크기는 줄어들었을 것이다. 남은 검열관들의 키와 상대적인 힘에 따라, 상담자는 이 문제와 관련하여 앞으로 해야 할 일이 무엇인지 예측할 수 있다. 어떤 경우에는 검열관이 아예 사라지기도 한다.

5단계: 자원 활용하기와 불러일으키기 – 강력한 자비심의 자원에 접근

이 세션은 자비롭고 합리적인 목소리를 되찾은 내담자가 그 목소리를 다시 크게 내는 것으로 항상 마무리되어야 한다. 이제 마지막 점토 작업으로 자기수용의 이미지를 만든다. 내담자에게 아래 도판과 같이 전체 시퀀스를 촬영하도록 권하면, 그들은 자기수용과 용서라는 자비로운 목소리의 위치를 수정하면서 후속 작업에 명확하게 집중할 수 있게 된다.

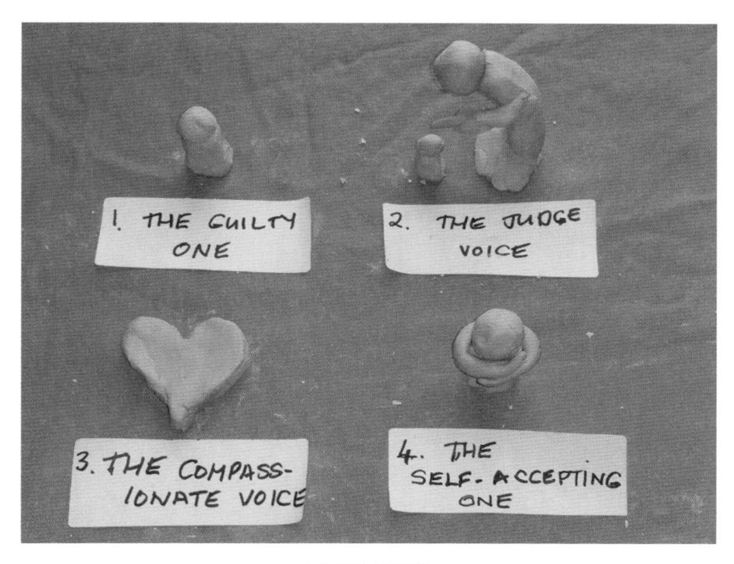

자비의 삼각형

세션이 종결될 때, 자비로운 목소리는 더 높아지고, 더 커지고, 내담자가 더 가까이할 수 있어야 한다. 내담자는 최소 2주 동안 매일 긍정적인 목소리를 다시 들려주어 검열관의 목소리가 재발할 시 긍정적인 다짐과 함께 이를 떨쳐내야 한다.

재구조화를 위한 치료적 미술 실습: 자존감 나무

자존감이 낮은 아동과 성인들에게는 종종 뿌리깊은 자기파괴적인 믿음이 있으며, 이들은 비합리적이며 부정적인 인지 패턴을 지닐 가능성이 크다. 수치심은 자존감의 핵심에 깊이 뿌리박혀 있다. 그것은 아이들을 극단적으로 평가절하하는 어른들의 메시지로 만들어져 있으며, 어른이라는 이유로 내뱉은 평가절하식의 중독성 있는 말들은 잠재력을 보여주고자 하는 개인의 능력을 불구로 만들어 버린다. 평가절하하는 자기 인식의 핵심에는 '나는 너무 뚱뚱해', '나는 지저분해', '나는 냄새가 나', '나는 못생겼어'와 같이 신체 수치심에 기반한 메시지가 매우 많다. 여기에 '나는 가치가 없어', '나는 멍청해', '나는 가망이 없어', '나는 무능해', '나는 남에게 짐이야', '나는 게을러', '나는 난폭해'와 같이 인지적이고 사회적인 능력이 없는 메시지들이 더해진다. 수치심에 시달리는 성인 내담자는 다른 사람들의 객관적인 평가에도 불구하고 그와는 반대로 종종 자신에게 무언가 심각한 문제가 있다고 느낀다. 이분법적 사고, 과잉 일반화, 긍정 배척, 과장하기, 감정적 추론, 개인화를 포함한 주요 인지적 왜곡은 사실 낮은 자존감의 핵심이다.

매체

- 다양하고 선명한 색의 크레용 세트 1개
- A4 용지 2장
- 검정 마커펜

방법

자존감을 높이고자 하는 내담자는 낮은 자존감이나 수치심 나무를 그리는 것부터 시작하는데, 나무의 각 뿌리는 내담자가 믿는 실패나 평가절하와 같이 독이 되는 인지적 메시지의 핵심 중 하나를 보여준다. 이는 다음 그림과 같다:

낮은 자존감/수치심의 나무

이번에는 독이 되는 나무와 똑같은 양의 뿌리를 갖고 있되, 인지 재구조화의 결과로 각 뿌리가 긍정적이고 대안적인 메시지를 보여주는 자존감 나무를 그려본다. 이렇게 그려진 나무는 상담 세션의 횟수와 상담에 필요한 개입방식 등 상담 계획을 위한 진단이 된다.

자존감 나무

부정적으로 인지하는 세계관이 파괴한 자존감 나무의 핵심에는 대개 다음과 같은 메시지들이 있다:

나는 영리해.

나는 잘생겼어.

나는 무언가를 성취할 수 있어.

나는 매력적이야.

나는 박식해.

나는 유능해.

나는 일을 잘해.

나는 사랑스러워.

나는 쓸모 있어.

나는 건강해.

자존감 나무에 있는 각각의 핵심 메시지를 통해 치료 세션에서 인지 재구조화의 목표를 설정한다. 예를 들어, '나는 쓸모없어'처럼 낮은 자존감을 드러내는 메시지는 내담자의 이분법적 사고, 과잉 일반화, 과장하기와 개인화를 보여준다. 그리고 '나는 무언가를 성취할 수 있어'와 같이 새롭고 긍정적으로 존중감을 높여주는 대안적인 메시지는 자존감을 제자리로 돌려놓는다. 이 긍정적인 관점의 구체화는 현실을 확인하기 위한 실습으로, 그리고 때로는 행동실험을 통한 후속 세션에서 드러나며, 이를 통해 내담자는 부정적이고 왜곡된 관점을 긍정적이고 합리적인 관점으로 대체한 것이 어떻게 자기 자신을 더 좋게 느끼게 하는지 깊이 이해할 수 있다.

치료 세션은 낮은 자존감 나무의 뿌리가 되는 모든 왜곡된 인지적 사고가 내담자의 웰빙과 행복을 지지하는 긍정적이고 합리적인 인지적 메시지로 대체될 때까지 세션 1에서 처음 확인한 각각의 낮은 자존감 메시지에 집중한다.

자해(커팅)의 근원인 인지적 왜곡을 없애기 위한 모래상자 실습

일부 청소년들이 그들의 무모한 자해에 대해 서로 많은 이야기를 하고, 휴대폰으로 자해를 촬영하고 유포하긴 하지만, 무엇이 그 과정을 유발하는지, 그 대가가 무엇인지, 자해의 과정을 막기 위해 그들이 개입할 수 있는 것이 무엇인지 깊이 이해하지 못한다. 이 실습은 자해의 근원이 되는 부정적인 인지적 왜곡이 드러나도록 지침을 내린다.

매체

- 노란색/흰색/금빛의 깨끗한 모래가 반쯤 채워진 모래상자, 75 cm × 55 cm × 15 cm(높이) 정도의 직사각형 상자(물의 표현을 위해, 가능하면 파란색 바탕이 칠해진 상자)
- 모래상자용 사물들 – 적어도 50개는 수집할 것을 권함

모래상자용 사물에는 좋은 감정과 나쁜 감정을 보여주는 장난감 종류가 다음과 같이 어느 정도는 포함되어야 한다.

- *지구* – 화산, 보석, 수정, 암석, 산, 폭포
- *식물* – 숲, 나무, 장미, 꽃, 과일, 선인장, 견과류, 씨앗
- *동물* – 호랑이, 사자, 뱀, 새, 나비, 거미, 공룡, 상어, 돌고래, 개, 고양이, 도마뱀, 코끼리, 원숭이, 토끼, 개구리, 물고기, 독수리, 벌, 벌레, 말, 양, 기린, 나비, 새, 깃털
- *인간* – 어린이, 아기, 성인(남자와 여자), 군인, 전사, 노약자, 뚱뚱하고 마른 사람, 다양한 인종의 사람, 광대, 슬프고 행복한 사람, 어머니, 아버지, 왕비, 여왕
- *원형* – 마법사, 요정, 천사, 부처, 예수 그리스도, 성모 마리아, 십자가, 별, 초승달, 마법 지팡이, 악인, 선인
- *기계와 물건들* – 자동차, 다리, 주택, 빌딩, 성, 울타리, 보트, 비행기, 그릇, 음식, 거울, 침대, 자전거, 컨테이너, 상자, 시계, 헬리콥터, 보석, 돈, 도로, 검, 총, 달걀

방법

1단계: 자해를 하고 싶은 첫 번째 생각(예: '나는 오늘 수학 시험에서 떨어졌으니까 나는 나쁘고 실패자야')이 들었을 때 내담자의 감정을 나타내는 사물을 선택하게 한다. 그리고 그 사물을 모래상자 안에 놓는다.

- 그다음에 내담자에게 자해를 준비할 때 느끼는 감정과 생각(예: '내겐 희망이 없고 아버지가 내게 화를 낼 거 같아서 불안해')을 나타내는 모래상자용 사물을 고르게 한다.
- 내담자는 자신이 자해하는 순간 느끼는 감정(예: '나는 강력해, 나는 내 삶을 통제할 수 있어')을 나타내는 사물을 고른다.
- 내담자는 자해 직후의 느낌을 나타내는 사물(예: '나는 안정되고 차분해진 것을 느껴')을 고른다.
- 내담자는 자해 후 오랫동안 남은 느낌(예: '나는 나빠, 나는 수치스러워')을 나타내는 사물을 고른다.

2단계: 위의 각 항목에 대한 느낌과 생각에 관해 의논한다. 각 단계에서 제시된 자해 유발 요인과 생각을 활용하여 인지적 왜곡을 밝히고 내담자에게 대안적인 인지적 사고 패턴을 제공한다. 이 패턴은 그들의 경험을 합리적이고 긍정적이며 능동적인 사고방식으로 재구조화한다.

자해 시퀀스

3단계: 불행하고 무력한 사람, 불안한 사람에게 충분한 지지를 보낼 수 있는 자질의 사물을 내담자가 추가로 고르도록 한다. 그러면 그들은 강력한 자해 단계로 나아갈 필요 없이 침착하고 편안한 단계로 바로 갈 수 있다.

4단계: 이 실습이 그들의 삶에 미치는 영향에 대해 의논한 다음, 새로운 인지적 사고 패턴을 다짐하면서 이러한 새로운 가능성이 반영되도록 모래상자 안의 구성을 바꿔 본다. 이렇게 새로운 가능성이 담긴 모래상자를 사진으로 찍은 후 복사본을 내담자에게 준다.

내담자가 자해 욕구를 갖지 않고 자신의 삶을 강력하게 느끼고 통제하려면, 그들의 삶에 필요한 새로운 자질들을 파악하여 후속 조치를 하도록 한다. 여기에는 내담자로부터 파악된 요구와 관심사에 따라 네트워킹, 멘토링 지원, 사회에서의 새로운 기회 창출, 스포츠 또는 교육적 상황과 같은 외부적인 변화뿐 아니라 내담자의 일상적인 사고에 대한 많은 내적 변화가 수반될 것이다.

결론

요약하자면, 저자가 파악하기에 여러 개의 창의적인 치료 실습 중 몇 개는 매우 구체적으로 관찰가능한 방식을 갖고 있어서 내담자들의 인지적 왜곡을 수월하게 드러내며, 그들이 앞을 향해 전진하고 인지적으로 합리적이면서도 긍정적인 방식으로 그들의 경험을 재명명하도록 지지할 수 있다.

7

노출과 둔감화

소개

체계적 둔감화 또는 단계적 노출 요법은 Wolpe (1958)에 의해 개발되었으며 주로 공포증과 불안 장애를 극복하기 위해 사용된다(Dubord 2011). 볼프(Wolpe)는 동물들이 무서운 자극에 점진적이고 체계적으로 노출되면 두려움을 극복할 수 있다는 것을 알아챘다. 체계적 둔감화 과정은 두려움을 바람직하거나 완화적인 자극과 결합함으로써 점차 공포의 수준을 낮추는 것을 목표로 한다. 이는 내담자가 두려움과 편안함을 동시에 가질 수 없다는 개념에 근거한다. 만약 결합된 완화 자극이 완전히 강해지면, 내담자는 그 수준에서의 두려움을 극복하게 될 것이다.

체계적 둔감화의 첫 번째 요소는 바람직하고 완화적인 자극 계층, 그리고 이와 쌍을 이루는 불안 유발 자극 계층으로 구성된다. 본래 인간은 불안 자극에 대한 반응 수준을 낮추기 위해 쌍을 이루는 불안 자극 대신, 이완 자극에 심신을 집중하는 방법을 터득해 나간다(Agras *et al.*, 1971). 효과성 연구들은 이것이 공포증과 불안증에 특히 효과적인 치료제라는 것을 보여주었다(Austin과 Patridge 1995; Deffenbacher와 Hazaleus 1985).

Stampfl (1967, Dubord 2011에서 인용)에 의해 개발된 홍수법(flooding)은 처음에는 내담자에게 편안하지 않지만, 내담자의 특정 불안과 공포증에 대한 고통을 둔감화하는 데 활용되는 또 하나의 기법이다. 때로는 노출 치료라고도 불리는 이 기법은 내담자의 공포 반응이 고갈될 정도로 오랜 시간 동안 내담자를 공포의 대상(실제 현실이나 가상 현실에)에 노출시킨다. 그리고 내담자는 자신이 두려워하는 대상 앞에서 그 두려움을 대체하는 완화 기술을 적용하는 법을 배운다.

이번 장에서는 네 개의 시퀀스가 제시되는데, 이는 내담자를 치료상황까지 오게 한 두려움이나 혐오 반응을 줄이기 위한 것으로, 반복 가능하면서도 순차적인 단계를 지닌 창의적 치료법에 근거한다. 또한, 10세 미만의 아동을 위해 특별히 고안된 짧은 시퀀스도 소개하겠다.

입장-퇴장-바라보기 시퀀스

이 시퀀스는 드라마 치료에서 유래한 것으로, 내담자가 두려움과 불안에서 벗어나 회복하는 것을 돕는 연출법을 사용하고 있다.

'입장–퇴장–바라보기(enter–exit–behold)' 시퀀스는 처음에 Tagar (1996)에 의해 개발되었고, 이후 2004년에 Sherwood (2004)에 의해 수정되면서 두려움의 자리와 그것을 다루는 법을 알아보기 위해 몸안의 호흡을 추적하는 하나의 과정이 되어갔다. 이 과정을 통해 내담자는 가장 깊은 두려움이 자리한 곳으로 갈 수 있으며, 두려움에 압도당한 채로 가만히 있다가 다시 어떤 침습적이고 반복적인 스트레스 상태에 빠지기보다는, 말 그대로 두려움에서 물러나 그들의 두려움을 멀리서 관찰할 수 있다. 그러고 나면 두려움에 대한 통찰력이 생겨나고 그것을 변화시킬 수 있게 된다. 이곳에서 내담자는 자신의 외상 경험을 바라볼 수 있고, 두려움을 이완하는 그들의 모든 성숙한 자원들이 동원되어 더는 두려움에 빠지지 않게 된다. 따라서 내담자는 두려움이라는 홍수에 잠기는 것 그리고 침착한 자세로 두려움을 관찰하는 것 사이에서 균형을 잡을 수 있다.

매체

- 12색 이상의 크레용 세트
- A4 용지 4장–6장

방법

1단계: 우선 내담자는 자신의 두려움을 떠올릴 때 호흡이 수축하거나 긴장된다고 느껴지는 신체 부위를 감지한다. 그 경험을 추적하기 위해 해당 신체 부위에 손을 대 본다.

- 그런 다음 내담자는 말 그대로 긴장/두려움이 느껴진다고 상상한 신체 부위로 한 걸음 다가간다. 이것을 '입장'이라고 한다. 여기서 내담자는 어떻게 숨을 쉴 수 없는지를 하나의 형태로 느껴본다.
- 이어서 내담자는 말 그대로 뒤로 물러나서 그 신체 부위에서 에너지나 호흡이 어떻게 수축하는지 그려본다. 그것은 단단한 공, 납작한 나무 조각, 꼬인 줄같은 모양인가?

2단계: 내담자는 한 걸음 나아가서 자신의 온몸을 그 모양에 껴 맞추어 모양 안으로 들어가 본다. 그리고 호흡이 어떻게 그들의 몸을 수축시켰는지를 몸소 보여준다. 그들의 몸은 매듭, 단단한 공 또는 다른 형태로 수축한 몸짓으로 뒤틀려질 수도 있다. 내담자는 호흡의 수축을 그린 자신의 그림을 기반으로 확실한 제스처를 선택한다.

- 내담자는 두려움 그리고 그 기억을 상기시킬 수 있는 지점에 와 있다.
- 이곳에서 내담자는 자신에게 내재한 트라우마의 역동성을 재경험한다. 지금 현재를 위해 필요한 것은, 내담자가 필요 이상의 폭력, 고통 또는 공포를 경험하지 않게 이 위치에서 떠나는 것이다. 떠나기로 선택한 다음 내담자는 바로 벌떡 일어나 뒤로 물러서면서 그 위치에서 '퇴장'할 수 있다. 만약 그들이 너무 '안'에 있고 상당한 공포에 떨고 있다면, 그들은 서너 번 더 뒤로 물러나야 할 것이다. 뒤로 한 발짝 물러설 때마다 공포의 경험을 떨쳐버리듯 힘차게 손을 흔든다. '퇴장'은 말 그대로 완전히 벗어나는 몸짓을 의미하는데, 한 걸음 뒤로 물러서서 감지된 경험을 벗어던지듯 손과 팔을 흔들며 털어내는 것이다.

3단계: 내담자는 고통스러운 경험이 떠오르지 않는 다른 실내로 이동한다. 내담자는 이제 '퇴장한' 위치에 서서 자신의 두려움을 유발하는 트라우마를 바라본다. 이는 마치 그들이 트라우마/두려움의 바깥에서 이것을 관찰할 수 있는 전략적인 거리를 두는 것과 같다. 『*Philophonetics*』의 저자 예후다 타가르(Yehuda Tagar)는 이 위치가 '베란다' 즉, 내담자가 이제 트라우마를 볼 수 있고 이와 관련한 두려움의 정도를 조절할 수 있다고 느끼는 관찰의 장소라고 나에게 설명한 바 있다. 내담자는 외부 관찰자로 참여하여 그 역동을 바라본다. 이것은 내담자가 방금 몸으로 경험한 두려움을 일깨우는 것이 무엇인지 명확하게 알게 하는 '바라보기'의 행위다. 내담자는 이를 상담자와 공유하고 두려움을 줄이기 위해 다음에 무엇을 해야 하는지 파악할 수 있다. 이 기술은 침잠되거나 오랫동안 방어하거나 회피해 온 두려움에 내담자가 다시 사로잡히지 않고 두려움의 역동을 드러내게 하는 데 효과적이다. 이 과정을 통해 내담자는 공포 속 현장으로 들어갈 수 있지만, 압도당한 채 어떤 침습적인 스트레스 상태에 다시 빠지기보다는, 그 경험을 바라보고 트라우마를 관리하고 변화시키는 전략적 깊이를 가질 수 있다. 이 시퀀스는 성적 학대 생존자들(Sherwood 2000b가 기록한)과의 연구에서 광범위하게 사용되었다. *이 시퀀스는 매우 효과적이지만, 기법에 대한 교육을 받지 않은 치료사나 미숙한 치료사가 사용하는 것은 권장하지 않는다.*

이 시퀀스 과정을 통해 내담자는 그 경험의 내적 패턴으로 입장한 다음 격식을 갖추어 퇴장하고, 공포의 역동성을 바라보고 마침내 그 경험의 치유 과정을 설계하는 데 필요한 정보를 얻는 안전한 장소로 나아갈 수 있다. 퇴장하는 과정은 내담자에게 침잠되어 보이지 않던 것을 드러나게 하며, 내담자의 취약성을 트라우마적 상황에 노출함으로써 내담자가 침습적 스트레스 단계로 나아가는 것을 막아준다. 이 시퀀스의 주요한 공헌은 내담자가 침잠과 정서적 고립 사이에서 수월하게 균형을 잡을 수 있게 한 것이다. 이는 Sherwood (2000a)가 성적 학대 생존자들과의 효과적인 협업에 관해 쓴 연구물에 자세히 설명되어 있다. 내담자는 자신의 고통스러운 경험으로 매우 깊이 들어가 잠겨 버리고, 심지어 내담자가 뒤로 물러서더라도 여전히 그 안에 남아 있는 경우가 아주 가끔 있다. 예후다 타가르(Yehuda Tagar)는 퇴장하는 시퀀스를 변형한 '대나무(Bamboo) 기법'을 개발하여 내담자가 퇴장 시퀀스를 계속 반복하여 퇴장할 수 있도록 하였다. 이는 8장의 재발 방지 전략에 상세히 설명되어 있다.

자해 회복 시퀀스

내담자가 자해를 신체적으로 조정하는 장면을 매우 선명한 심상으로 떠올리는 것은 꼭 필요하다. 흥분과 무력감에 대한 두려움과 그 경험은 그들의 머릿속에만 있는 것이 아니다. 이 시퀀스는 자해에 사로잡힌 내담자가 자해를 유발하는 두려움과 무력감을 이해하고 물리칠 수 있게 한다. 이 실습을 반복적으로 실행한 결과 청소년들이 자해를 하는 이유는 대개 두려움과 불안감 때문이라는 것을 알 수 있었다. 이 실습은 자해 문제를 다루기 위한 대안책을 제시한다.

매체

- 오일 크레용
- A3 크기의 흰색 도화지 4장

방법

1단계

- 자해하기 전에 두려움과 무력감을 느끼는 신체 부위로 한 발짝 나아간다.
- 뒤로 물러서서 두려움/에너지가 어떻게 그 부위에 갇혀 있는지 그려본다. 그것은 돌멩이, 실 뭉치 등과 같은 것인가?

2단계

- 자신이 그린 모양에 발을 들여놓고 두려움이 자신을 어떻게 공격하는지 느껴본다. 그것은 화살이나 펀치 등과 같은 것인가?
- 자신을 공격하는 두려움의 제스처를 쿠션 위에서 취해본다.

- 두려움의 제스처가 내는 소리를 알아본다. 그것은 때리는 듯한 '*bbb*', 또는 칼 같은 '*kkk*', 또는 쥐어짜는 듯한 '*nnn*' 같은 소리인가, 아니면 다른 소리인가?

3단계

- 상담자는 내담자에게 소리를 내되, 처음에는 내담자와 조금 떨어진 위치에 서서 아주 작게 소리를 낸다.
- 그 소리가 맞으면, 내담자는 소리에 대한 거부 반응을 보인다.
- 상담자는 내담자에게 '*ggg*', '*bbb*' 또는 '*ddd*' 중 방어하기에 가장 좋은 소리를 크게 내면서 손을 들어 상담자가 내는 소리를 차단하는 제스처를 취하게 한다. 내담자가 '*ggg*', '*bbb*' 또는 '*ddd*'로 소리를 차단할 수 있다는 것을 보여주면 상담자는 그 혐오스러운 소리를 점점 크게 낸다.
- 그 소리가 내담자를 더는 괴롭히지 않을 때 상담자는 그 혐오스러운 소리를 멈춘다.

4단계

- 내담자는 이제 자신이 더 강해졌다고 느낄 것이고 두려움의 소리에 더는 거부감을 보이지 않을 것이다.
- 그다음에 내담자는 그 혐오스러운 소리로부터 자신을 막아준 방어적이고 성공적인 소리, 즉 반복되는 *g*, *b* 또는 *d*를 7일 동안 매일 크게 소리 내어 연습해야 한다. 내담자는 이 강력한 소리를 사용하여 자신에게 재발하는 어떤 공포든지 맞서서 차단할 수 있다. 차단하는 소리를 매일 30초씩 큰 소리로 연습하되 다른 사람들이 있는 곳에서는 두려움에 직면했을 때만 마음속으로 연습한다. 이 실습은 자해를 하지 않고도 청소년들이 두려움과 무력감을 극복하도록 힘을 북돋우는 매우 유용한 기법이다. 이는 사춘기 청소년들의 두려움을 촉발하는 다양한 요인들을 통해 반복적으로 활용할 수 있다. 촉발 요인을 이러한 방식으로 처리하면 대개 자해가 감소하며 때로는 아예

사라지기도 한다. *이 시퀀스는 안전하고 효과적인 결과를 위해 치료사가 공식적으로 훈련받을 필요가 있다.*

우울증 회복을 위한 시퀀스

미술치료에서 유래된 이 시퀀스는 내담자를 우울감에 노출한 다음 우울증을 경험하는 것에 둔감해질 수 있도록 순차적이고 명확한 시퀀스를 단계별로 제공하는데, 그렇게 하지 않을 시 경험되는 우울증은 장기간 생활양식의 사고 패턴으로 고착될 수 있다. 이 실습은 심상을 유도하여 내담자의 경험을 재명명한다고도 볼 수 있다.

매체

- A4 용지
- 오일 크레용 또는 아크릴 물감(내담자가 선호하는 매체로 함)

방법

1단계: 내담자에게 장기간 우울증에 걸리는 것에 대한 두려움을 몸안에서 느껴보고, 그 경험을 색과 이미지로 감지한 후 A4 용지에 그림을 그리거나 색칠하도록 요청한다.

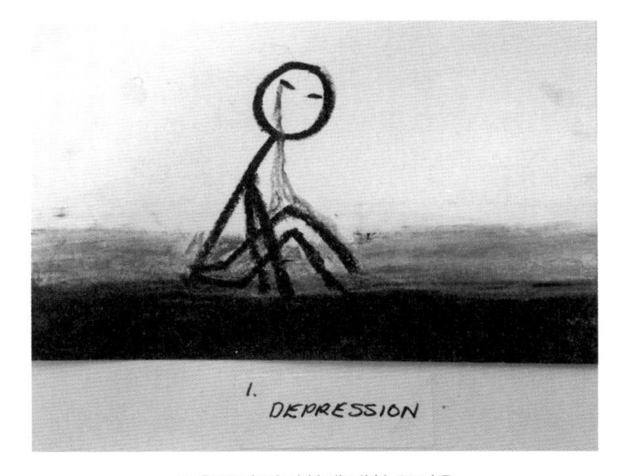

우울증의 장기화에 대한 두려움

2단계: 내담자에게 우울감이 심해지기 전의 그 느낌을 포착하여 그것을 색으로 칠하거나 그리도록 요청한다.

우울증에 빠진 이미지

3단계: 내담자에게 장기 우울증에 대한 두려움을 대처하는 데 필요한 자질을 알려달라고 요청한다. 그들에게 잃어버린 자질의 이미지를 나타내는 무언가를 그리거나 색으로 칠하게 한 다음, 최소 2분간 숨을 깊게 들이쉬도록 격려한다.

행복 – 우울증으로 인해 잃어버린 자질

4단계: 이 그림을 장기 우울증에 대한 두려움을 그린 드로잉/그림 옆에 놓고, 이 잃어버린 자질이 어떻게 우울증에서 벗어나 상승곡선을 타고 행복으로 되돌아가게 했는지 내담자에게 시각화하도록 한다. 이 마지막 드로잉/그림은 장기적인 우울증에서 벗어나는 움직임을 나타낸다. 그다음에 내담자는 잃어버린 자질로 호흡하고나서 다르게 느껴지는 것을 그려보도록 한다.

우울증에서 회복되다

이러한 그림의 후속 조치로, 장기 우울증에 대한 두려움을 그린 이미지를 불에 태워 버리고 그들의 삶이 긍정적이고 건강한 공간으로 되돌아가는 대체 이미지를 내담자가 상상하게 권한다. 이것은 4번 이미지에 표현된 것으로, 내담자가 매일 볼 수 있도록 집에서 잘 보이는 곳에 배치해야 한다. 그런 다음 내담자는 우울증의 회복을 시각화하면서, 그들의 행복을 회복하는 데 필요한 잃어버린 자질들을 매일 들이마시는 것을 상상한다. 저자는 이 실습을 3주 동안 하도록 처방한다.

내담자가 우울증에서 회복된 시퀀스는 다음과 같다:

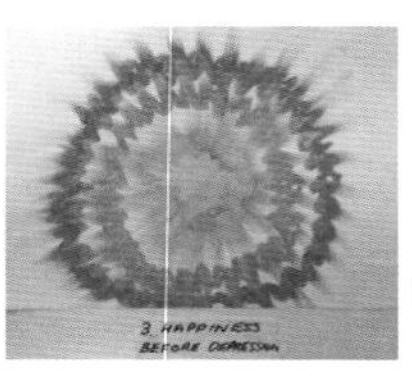

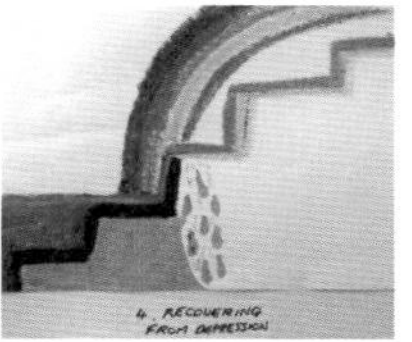

우울증에서 회복되는 시퀀스

버려짐에 대한 두려움을 낮추는 시퀀스

이 시퀀스는 내담자의 회복을 촉진하는 데 활용되며 심상 유도요법과 결합한 점진적인 둔감화 과정을 다시 사용한다.

방법

1단계: 내담자는 버림받는 것에 대한 두려움을 자신의 몸에서 느끼고, 절망이나 자포자기(또는 내담자가 말하는 다른 어떤 감정)와 관련하여 생겨나는 감정을 감지한다. 내담자에게 버려짐에 대한 두려움을 몸짓으로 표현하되 할 수 있는 한 최대한으로 해볼 것을 요청한다. 필요에 따라 바닥에 눕거나, 테이블 아래에 웅크리고 있거나, 버려진 제스처를 나타내는 등 모든 것을 시도할 수 있다.

2단계: 이 단계에서부터는, 버려짐에 대한 내담자의 두려움을 해소하고 그들에게 안전함과 연결성을 주는 자질을 시각화하도록 요청한다. 내담자에게 연결성과 편안함의 느낌을 주는 사람, 동물 또는 장소의 이미지를 선택하게 한다. 4장 앞부분에서 언급한 자원 폴더는 긍정적인 이미지를 떠올리는 것이 힘든 내담자에게 여기서도 도움이 된다.

3단계: 내담자가 선택한 편안함과 연결성의 이미지를 활용하여 그들이 휴식을 취하게끔 한다. 내담자는 연결성과 편안함의 자질로 천천히 호흡한다… 심장에 그 자질이 들어온 것을 느끼는 것으로 시작해 그들의 몸통, 머리, 팔다리 그리고 손가락과 발가락 끝으로 점차 그것이 흐르는 것을 느끼도록 한다. 내담자가 선택한 이미지를 사용하여 최소 15–20

분 동안 긴장을 풀게끔 유도한다. 연결성과 따뜻함이라는 새로운 자질로 호흡할 때 새로운 편안함을 나타내는 몸짓으로 바꿔도 좋다고 내담자에게 알려준다. 그들의 제스처는 제시된 이완 시퀀스가 진행됨에 따라 점차 바뀌어야 한다.

4단계: 이제 마지막으로 내담자에게 지금 온몸으로 호흡하면서 느껴지는 연결성과 편안함을 새로운 제스처로 취하게 한다. 내담자에게 이 회복을 나타내는 제스처로 방을 돌아다니게 한다. 마지막으로, 연결성과 편안한 느낌의 에너지를 그리거나 색칠해 보도록 한다.

5단계: 내담자가 버림받을지도 모른다는 두려움을 특히 많이 느낄 때는 7일 동안 매일, 이 자질로 호흡하여 후속 세션을 수행하도록 한다. 후속 대화에서는 스포츠나 기타 그들이 참여할 수 있는 사회적, 교육적 또는 개인적 활동이 연결감과 편안함을 느끼게 하는지 내담자와 함께 알아본다.

빛을 밝혀주는 실습

이것은 아이들이 트라우마에 무감각해지도록 사용되는 간단한 미술치료 실습법이다. 아이가 무서워하고 불안해 할 때 언제든지 사용할 수 있다.

매체

- 12색 이상의 크레용 세트
- A3 용지 2장

방법

1단계: 아이가 두려움에 직면해야 할 때, 예를 들어 치과에 가기, 병원에 가기, 학교에 가기 등 무엇이든지 간에 그 느낌을 색으로 칠해보도록 한다. 아이의 그림을 자세히 보고 밝은 색을 찾아본다. 보통 첫 번째로 노란색을 많이 선택하고, 그다음으로 연한 파란색 또는 녹색을 많이 선택한다. 그림에서 빨간색, 주황색, 갈색 및 어두운 파란색은 선택하지 않는다. 아이에게 노란색에 발을 들여놓는 것을 상상해 보라고 한 후, 작은 노랑 줄무늬, 노란 선, 노란 작은 반점, 그 외에 원본 페인팅/드로잉 안에서 그들이 본 것을 그림으로 그려보도록 한다.

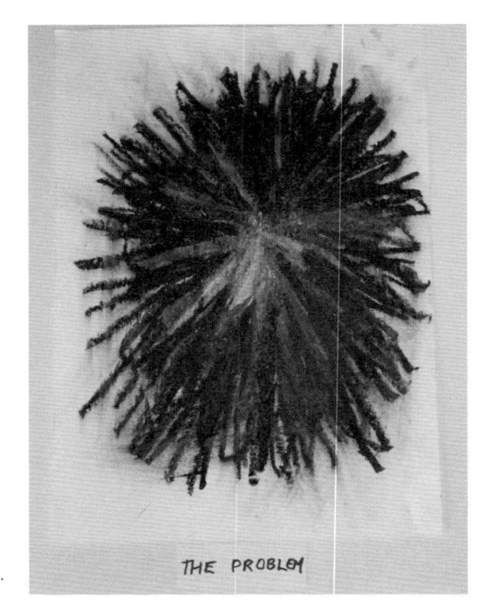

두려움이 있는 '문제의' 장소

2단계: 두 번째 그림은 긍정적인 경험의 장소를 묘사할 것이다. 이 장소는 아이가 두려움을 느끼기 시작할 때 이 완성된 그림 안으로 들어가서 사라진다고 상상할 수 있는 곳이다. 따라서, 치과 의자에 앉아 있다고 가정했을 때, 아이는 자신이 그린 아름다운 행복의 장소로 사라지는 것을 상상하게 된다. 또한, 이 아름답고 행복하고 안전한 장소에 친숙해지기 위해 이 실습을 매일 하도록 요청받음으로써 그들이 두려워하는 상황에 부닥쳤을 때 그 장소를 쉽게 떠올릴 수 있다. 이 실습은 보통 14일 동안 매일 행한다.

희망의 장소

결론

이 장에서는 CBT에 대한 창의적인 접근법이 내담자의 부정적이고 두려운 경험을 둔감화하는 데 어떻게 사용될 수 있는지 설명한다. 쌍을 이루는 자극 둔감화 과정과는 다소 다르지만, 내담자들은 탈-둔감화라는 목표에 도달하여 두려움과 불안 반응에 대한 통제력을 높인다. 이는 내담자에게 더 능숙한 행동을 유발한다. 내담자는 자신의 삶에서 이러한 혐오적인 자극에 대처할 수 있게 되고 삶을 더 즐길 수 있게 된다.

8

재발 방지와 강화

소개

치료 세션에서 습득한 새로운 행동이나 기술은 개인의 일상적인 삶에 정착되어야 하므로 재발 방지는 치료사의 주된 관심사이다. 재발 방지를 위해서는 개인적으로나 사회적으로 시간, 에너지, 책임 그리고 새로운 행동 루틴의 확립이 필요하다. 치료 전의 역기능적인 행동으로 되돌아가는 것은 대부분의 내담자에게 일어날 수 있는 일이므로 내담자가 재발을 관리하거나 피할 수 있도록 지원책을 세울 필요가 있다. 중독, 특히 알코올과 관련한 재발 방지에 관한 문헌들은 많이 소개되어 있다(Witkiewitz와 Marlatt 2004의 사례를 볼 것).

누구에게나 재발은 그 사람이 살아가는 사회 경제적인 상황뿐 아니라 대인관계 및 개인적인 요인의 범주에 따라 결정된다. 이 범주에는 변화된 행동을 유지하려는 개인의 동기 부여, 그리고 변화된 행동을 유지하는 데 중요한 가족 및 소셜 네트워크의 지지가 있다. 무료로 마실 수 있는 술이나 다른 중독성 물질, 자해하는 친구들, 자유롭게 이용할 수 있는 포르노 사이트, 그리고 의욕을 꺾는 다른 부정적인 사이트 등을 가까이하면, 한 개인의 새로운 행동양식에 해가 될 수 있다. 이에 더해, 건강하지 않은 몸, 저소득을 포함한 사회 경제적 스트레스 요인들, 과밀현상, 노숙자와 실업자 역시 한 개인에게 재발을 일으키는 취약성으로 작용할 수 있다.

Larimer, Palmer와 Marlatt (1999)는 인지행동모델을 통한 재발 방지를 입증한 바 있다. 다양한 개입방식이 통합된 이 모델은 내담자가 재발 과정을 체계적으로 관리하게 한다. 미시적인 개입으로는, 고위험 상황 파악하기, 그러한 상황에 대처하기 위한 내담자 기술 강화하기, 내담자의 자기효능감 상승시키기 및 시간 관리가 있다. 거시적인 개입으로는, 내담자가 건강하게 생활양식을 개발할 수 있게 지원하고, 재발 과정을 하나의 로드맵으로 만들어 재발 표지판으로 그 여정을 알려주고, 경사면에서는 미리 멈출 수 있게 돕는 전략이 있다.

주기적·반복적으로 적절한 창의적 치료 실습 되풀이하기

이 책에 소개된 모든 창의적인 CBT 개입 시퀀스에서 재발을 최소화하기 위해 요구되는 행동 재구조화나 인지 재구조화는 대개 7일간, 때로는 14일이나 21일간 후속 반복하도록 권장된다. 예를 들어, '슬픔과 상실'의 시퀀스(4장)와 '우울증으로부터의 회복' 시퀀스(7장)는 21일간 반복된다. '빛을 밝혀주는' 시퀀스(7장)는 보통 14일에 걸쳐 완성되며, '당당하게 말하기' 시퀀스(5장), '배신감에서 신뢰감으로' 시퀀스, 그리고 '절망에서 희망으로' 시퀀스(4장)는 7일로 설정하였다. 이러한 시퀀스는 원하는 세션 간에 행동 변화를 지원하도록 고안되었으며 각 후속 세션을 통해 개입의 효과가 평가된다. 재발 방지와 강화를 위한 후속 세션은 각 시퀀스별로 특별히 설계되어 시퀀스 내에 표기되어 있다.

또한, 모든 시퀀스마다 적용가능하고 행동 변화(진단적인 시퀀스와는 상반되는)를 목표로 하는 세 가지의 재발 방지책도 있다. 일반적인 세 가지 재발 방지책은 퇴장하기, 활성화하기, 불러일으키기이다.

'대나무' 기법을 활용한 퇴장하기 시퀀스

이 실습은 내담자가 두려움, 분노, 괴로움, 반복적으로 문제가 되는 사고로부터 말 그대로 빠져나올 수 있게 하므로 '퇴장하기'라고 불린다. 이는 Tagar (1996)에 의해 개발되었다. '퇴장하기'는 두려움, 분노, 범람, 히스테리, 반복적이고 침습적인 부정적 사고나 이미지, 걱정, 공황, 슬픔과 절망 등 다양한 부정적인 감정을 매우 효과적으로 관리할 수 있게 해준다. 이는 매우 효과적인 재발 방지책으로 드라마 치료로부터 발전되었다.

내담자는 다음과 같이 간단하면서도 효과적인 '퇴장하기' 과정을 따름으로써 부정적인 감정에서 완전히 벗어날 수 있다.

방법

1단계: 우선 내담자는 위에 제시된 부정적인 인식이나 반응 중 하나를 그들이 느끼고 있음을 알아차리고, 몸의 어느 부위에서 그것이 처음 느껴졌는지 감지한다. 그것은 내담자가 집착하는 생각이나 경험과 같이 내담자의 몸에서 긴장감이나 스트레스가 경험되는 곳에 있다. 그 위치는 호흡이 수축한 곳이다.

2단계: 그다음에 내담자는:

- 그들의 몸에서 파악된 스트레스 부위에 손을 올려본다.
- 두 손을 사용하여 스트레스를 공 모양으로 모은다.
- 공 모양으로 모은 스트레스를 창밖으로 던져 버리면서 '*g*', '*uuh*', '*d*', 또는 폭발음과 유사한 큰 소리를 내며 호흡을 내뱉는다.
- 뒤로 물러서서 마치 행군하듯이 발을 큰 소리로 힘차게 구른다.
- 마치 몸안의 스트레스를 털어내듯이 팔을 힘차게 흔든다.

내담자의 스트레스 요인이 행동적, 인지적, 감정적으로 더이상 느껴지지 않을 때까지 2단계를 3번에서 6번 반복한다.

이 시퀀스는 대나무 줄기가 반복적인 성장의 분화로 이루어지듯이 여러 번 반복되기 때문에 '대나무'라는 명칭이 붙었다. 이것은 재발 방지를 위한 가장 효과적인 시퀀스로, 만약 내담자들이 스트레스를 풀기 위한 하나의 방법으로 일상에서 매일 실행한다면, 재발 방지에 큰 도움이 될 것이다. 이 시퀀스는 일과 속에서 쌓인 스트레스를 해소하고 호흡을 회복하는 데 효과적이다. 이 활용법은 직무 스트레스로 번아웃 증상을 보이는 간호사들을 위한 Sherwood와 Tagar (2000a, 2000b)의 연구에서 입증된 바 있다.

활성화 시퀀스

활성화하기는 몸안에서 호흡의 흐름을 회복시켜 내담자가 지금 현재에 머물 수 있게 돕는 실습법으로, 이 역시 Tagar (1996)에 의해 개발되었다. 몸으로 움직이는 것과 몸 속으로 깊게 호흡하는 것 사이에는 직접적인 관련성이 있다. 호흡이 깊어질수록 이완하게 되고 지금 현재에 대한 알아차림과 집중력이 상승한다. 그렇게 하면, 사람은 더 자각적이고 통찰력 있는 위치에서 행동할 수 있고, 기능장애적 행동, 서투른 인식, 감정적 반응을 드러내는 것을 멈추게 하는 숙련된 선택을 할 수 있게 된다.

방법

이 실습은 내담자가 일어서서 몸을 천천히 움직이는 일련의 쉬운 동작들을 취함으로써 그들을 지금 현재로 데려오게 한다. 몇 분 동안 몸을 이리저리 흔드는 것을 시작으로, 앞뒤로 기지개를 켜고 팔을 오므렸다가 펴고 앞뒤로 흔들면서 이 동작에 온몸을 맡긴다. 여기에 다른 신체적인 움직임의 리듬과 제스처가 추가될 수도 있다. 내담자는 자신의 호흡이 이제 자유롭게 흐르고 아무런 제약 없이 온몸에 흐른다고 느낄 때까지 페이스를 점차 늘려나간다. 이 실습은 내담자가 자기 삶을 위한 능숙하고 효율적인 결정을 내릴 수 있도록 명확한 공간을 만들어 준다. 또한, 내담자는 재발 행동이 일어나려는 그 순간뿐만 아니라 전반적인 웰빙 유지를 위해 이 과정을 매일 반복하는 것이 좋다.

불러일으키기 시퀀스

버려짐, 자포자기, 절망, 슬픔, 외로움, 나약함과 냉담함, 그리고 사랑, 기쁨, 밝음과 따뜻함의 부재에 대한 인지적이고 감정적인 경험들은 내담자 주변의 촉발 요인들에 의해 삶에서 순간순간 드러나기도 한다. 그 경험들은 내담자가 상처받기 쉽고, 스트레스를 받고, 재발하기 쉽다고 느끼게 한다. '불러일으키기'의 과정은 내담자가 필요로 하는 순간에 내담자를 긍정적으로 강화하고 힘을 돋우는 자원들을 동원한다. 이 시퀀스는 내담자에게 고갈된 패턴을 기쁨, 희망, 약속, 따뜻함, 사랑 그리고 축하의 인생 패턴으로 변화시킨다.

방법

이 불러일으키기 시퀀스는 다음과 같은 질문으로 시작한다: 당신의 힘[또는 기쁨, 희망, 사랑, 연결성, 힘, 자기 가치 혹은 지금 현재 내담자가 필요로 하는 모든 것]을 회복하는 데 필요한 '잃어버린 자질'은 무엇인가? 잃어버린 자질에 대한 명칭을 정한 후, 다음 단계에서는 부정적이기보다는 긍정적인 경험이 되게 인지적으로 재명명한다.

- 당신은 신체 어느 부위에서 그 잃어버린 자질을 경험하나요? 그 신체 부위에 손을 대 보세요.
- 어떤 영적인 존재, 인간, 산 자나 죽은 자, 동물 또는 잃어버린 자질을 보여주고 그 자질을 풍부하게 지닌 어떤 존재를 불러보세요.
- 마치 당신에게 비가 쏟아지듯이, 그들에게서 이런 잃어버린 자질을 받는다고 상상해 봅시다.
- 잃어버린 자질을 그 신체 부위까지 들이마시고, 그 자질이 온몸으로 흐르도록 하세요.
- 잃어버린 자질을 나타내는 색으로 당신의 호흡을 칠한 후 5분 동안 계속 그 색으로 들이쉽니다.
- 그 자질 옆에 서서, 잃어버린 자질을 받았다는 제스처를 온몸으로 보여주며 방안을 돌아다닙니다.
- 잃어버린 자질에 맞는 소리나 노래를 찾아서 큰 소리를 내거나 노래를 불러보세요.
- 잃어버린 자질로 흐르는 에너지를 하나의 색으로 골라 드로잉을 하거나 그림을 그리거나 점토로 무언가를 만들어 잃어버린 자질을 표현합니다.

필요하다면 온종일 이 실습을 반복합니다.

재발관리와 방지를 위해 세션 기간 중에 활용되는 위의 일반적인 시퀀스 외에도, 내담자에게 발현하는 문제에 기반하여 내담자가 대인관계 및 자신의 내면을 긍정적으로 인지하게끔 도와주는 특별 지침이 있다. 이를 통해 내담자는 자신의 취약점을 깨닫고 능숙하게 관리할 수 있다.

결론

퇴장하기, 활성화하기 그리고 불러일으키기와 같은 8장의 재발 방지 시퀀스와 함께 CBT 실무자들을 위해 설명한 2장에서 7장까지의 창의적 시퀀스는 바람직한 행동 및 인지적 변화를 일으킬 뿐 아니라 진단 목적을 위한 명료하고 반복 가능한 시퀀스를 제공한다. 그라운딩하기와 분노의 전환과 같은 시퀀스는 내담자가 자기조절을 위해 어떻게 창의적인 시퀀스를 활용할지를 보여준다. 심상 유도요법 작업은 자기용서뿐 아니라 슬픔과 상실감 회복, 절망과 배신으로부터의 회복과 같은 창의적인 CBT 시퀀스에 특히 적합하다. 사회기술훈련은 당당하게 말하기, 명확한 경계 설정 및 사적 공간과 같은 창의적인 CBT 시퀀스를 통해 달성할 수 있다. 행동실험은 통증 관리 시퀀스, 스트레스 및 불안 감소 시퀀스와 같은 창의적인 CBT 시퀀스를 활용하여 확립할 수 있다. 창의적인 CBT 시퀀스는 자해 시퀀스, 자존감 구축 시퀀스 및 자비의 삼각형을 포함하여 인지 재구조화를 촉진하는 데 특히 유용하다. 둔감화 및 노출은 두려움 시퀀스, 우울증 회복 시퀀스 및 빛을 밝혀주는 창의적인 CBT 시퀀스를 통해 목표를 달성할 수 있다.

이러한 모든 창의적인 CBT 시퀀스는 언어적인 인지행동치료의 목표를 달성할 수 있게 도우므로 CBT에서 활용되는 다른 언어 전략과 실습에 중요한 보조도구가 될 수 있다. 이것은 특히 아동, 청소년, 내성적이거나 도전적인 내담자, 언어 능력 수준이 낮거나 자유롭고 편하게 말하기를 꺼리는 내담자와 함께 하는 치료사에게 필수적인 보조도구가 될 것이다. 이렇게 CBT를 위한 창의적인 접근 방식은 개별적이고, 매력적이고, 동기부여가 되는 치료 상황으로 내담자를 끌어들인다. CBT 내에서 창의적인 치료로 개입하는 것은 내담자의 참여를 끌어내고, 치료 과정에서 기술과 도구의 가능성을 개발하고 확장하는 새로운 기회가 된다.

참조

Agras, W., Leitenberg, H., Barlow, D., Curtis, N. and Edwards, J.A. (1971) 'Relaxation in systematic desensitisation.' *Archives of General Psychiatry 25*, 6, 511–514. doi:10.1001/archpsyc.1971.01750180031005

Austin, J. and Partridge, E. (1995) 'Prevent school failure: Treat test anxiety.' *Preventing School Failure 40*, 1, 10–14.

Beck, A. (1997) 'The past and the future of cognitive therapy.' *Journal of Psychotherapy Practice and Research 6*, 276–284.

Bell, A. (2016, 28 September) 'What is self-regulation and why is it so important?' [Blog post]. Retrieved 26 January 2018 from www.goodtherapy.org/blog/what-is-self-regulation-why-is-it-so-important-0928165

Bergland (2014, 1 January) 'Researchers map body areas linked to specific emotions.' *Psychology Today* Retrieved 12 January 2018 from www.psychologytoday.com/blog/the-athletes-way/201401/researchers-map-body-areas-linked-specific-emotions

Cooper, P.J. and Steere J. (1995) 'A comparison of two psychological treatments for bulimia nervosa: Implications for models of maintenance.' *Behaviour Research and Therapy 33*, 875–885. doi:10.1016/0005-7967(95)00033-t

Cunningham, L. (2010) *The Mandala Book: Patterns of the Universe.* New York, NY: Sterling Publishing.

Deffenbacher, J. and Hazaleus, S. (1985) 'Cognitive, emotional, and physiological components of test anxiety.' *Cognitive Therapy and Research 9*, 169–180.

Dobson, R.L., Bray, M.A., Kehle, T.J., Theodore, L.A. and Peck, H.L. (2005) 'Relaxation and guided imagery as an intervention for children with asthma.' *Psychology in the Schools 42*, 7, 707–720.

Dubord, G. (2011) 'Part 12. Systematic desensitization.' *Canadian Family Physician 57*, 1299.

Ellis, A. (1961) *A Guide to Rational Living.* Englewood Cliffs, NJ: Prentice Hall.

Gladding, S. (2009) *Counseling: A Comprehensive Review* (6th edn). Upper Saddle River, NJ: Merrill/Pearson.

Gray, R. (2015) 'The art of healing and healing in art therapy.' *In Psych.* Retrieved 12 January 2018 from www.psychology.org.au/inpsych/2015/june/gray

Guest, J. (2016) *The CBT Art Activity Book.* London: Jessica Kingsley Publishers.

Harvey, L. Inglis, S.J. and Espie, C.A. (2002) 'Insomniacs' reported use of CBT components and relationship to long-term clinical outcome.' *Behaviour Research and Therapy 40*, 75–83. doi:10.1016/s0005-7967(01)00004-3

Henley, D. (2002) *Clayworks in Art Therapy: Plying the Sacred Circle.* London: Jessica Kingsley Publishers.

Hope, D.A., Burns J.A., Hyes S.A., Herbert J.D. and Warner, M.D. (2010) 'Automatic thoughts and cognitive restructuring in cognitive behavioral group therapy for social anxiety disorder.' *Cognitive Therapy Research 34*, 1–12.

Ilacqua, G.E. (1994) 'Migraine headaches: Coping efficacy of guided imagery training.' *Headache: The Journal of Head and Face Pain 34*, 99–102.

Ivey, A., D'Andrea, M., Ivey, M. and Simek-Morgan, L. (2002) *Theories of Counselling and Psychotherapy: A Multicultural Perspective.* Boston, MA: Pearson.

Kabat-Zinn, J. (2013) *Full Catastrophe Living: Using the Wisdom of Your Body and Mind to Face Stress, Pain, and Illness.* New York, NY: Random House.

Kanter, J.W., Schildcrout, J.S. and Kohlenberg, R.J. (2005) 'In vivo processes in cognitive therapy for depression: Frequency and benefits.' *Psychotherapy Research 15*, 366–373. doi:10.1080/10503300500226316

Larimer, M., Palmer, R. and Marlatt, G. (1999) 'Relapse prevention: An overview of Marlatt's cognitive-behavioral model.' *Alcohol Research and Health 23*, 2, 151–160. Retrieved 12 January 2018 from https://pubs.niaaa.nih.gov/publications/arh23-2/151-160.pdf

Laugeson, E.A. and Park, M.N. (2014) 'Using a CBT approach to teach social skills to adolescents with autism spectrum disorder and other social challenges: The PEERS Method.' *Journal of Rational-Emotive and Cognitive-Behavior Therapy 32*, 1, 84–97.

Lineham, M. (2015) *DBT Skills Training Manual.* New York, NY: Guilford.

Lowen, A. (1976) *Bioenergetics.* London: Penguin.

Lowenstein, L. (2016) *Creative CBT Interventions for Children with Anxiety.* Toronto: Champion Press.

Manning, J. and Ridgeway, N. (2016) *CBT Worksheets for Teenage Social Anxiety.* New York, NY: Createspace Independent Publishers.

Martin, R. and Dahlen, E. (2005) 'Cognitive emotion regulation in the prediction of depression, anxiety, stress, and anger.' *Personality and Individual Differences 39*, 1249–1260. doi:10.1016/j.paid.2005.06.004

McNeill, S. (2011) *Zen Mandalas: Sacred Circles Inspired by Zentagle.* East Petersburg, PA: Fox Chapel Publishing.

Mo [Screen name] (2010, 21 April) 'Bodily motions influence memory and emotions' [Blog post]. Science Blogs: Neurophilosophy.

Retrieved 12 January 2018 from http://scienceblogs.com/neurophilosophy/2010/04/21/motions-influence-emotions

Perry, B.D. (n.d.) 'Self-regulation: The second core strength.' *Early Childhood Today*. Retrieved 12 January 2018 from http://teacher.scholastic.com/professional/bruceperry/self_regulation.htm

Pert, C. (1997) *Molecules of Emotion*. New York, NY: Simon and Schuster.

Rossman, M. (2010, 18 August) 'Relaxation and imagery, meditation, and hypnosis – What's the difference? Worry Solution: Using Breakthrough Brain Science to Turn Stress and Anxiety into Confidence and Happiness.' Retrieved 4 March 2017 from http://worrysolution.com/2010/08/18/relaxation-and-imagery-meditation-and-hypnosis%E2%80%94what%E2%80%99s-the-difference

Sherwood, P. (2000a) 'Beholding: Bridging the chasm between flooding and denial: Philophonetics counselling and sexual abuse survivors.' *Journal of the Incest Survivors Association*, September, pp.23–32.

Sherwood, P. (2000b) Bridging the chasm: Philophonetics counselling and healing the trauma of sexual abuse. *Diversity 2*, 4 18–25.

Sherwood, P. (2004) *The Healing Art of Clay Therapy*. Melbourne: Acer.

Sherwood, P. (2008) *Emotional Literacy: The Heart of Classroom Management*. Melbourne: Acer.

Sherwood, P. (2011) *Emotional Literacy: The Workbook*. Bunbury, W.A.: Sophia Publications.

Sherwood, P. and O'Meara, K. (2012) *Clay Therapy: Healing Rwandan Genocide*. Bunbury, W.A.: Sophia Publications.

Sherwood, P. and Tagar, Y. (2000a) 'Experience awareness tools for preventing burnout in nurses.' *Australian Journal of Holistic Nursing 7*, 1, 15–20.

Sherwood, P. and Tagar, Y. (2000b) 'Self-care tools for creating resistance to burnout: A case study in philophonetics counseling.' *Australian Journal of Holistic Nursing 7*, 2, 45–46.

Tagar, Y. (1996) *Philophonetics: Love of Sounds*. Melbourne: Persephone Publications.

Thich Nhat Hanh (1987) *The Miracle of Mindfulness*. Boston, MA: Beacon.

Utay, J. and Miller, M. (2006) Guided imagery as an effective therapeutic technique: A brief review of its history and efficacy research. *Journal of Instructional Psychology 33*, 1. Retrieved February 2017 from www.questia.com/library/journal/1G1-144014458/guided-imagery-as-an-effective-therapeutic-technique

Witkiewitz, K. and Marlatt, G.A. (2004) 'Relapse prevention for alcohol and drug problems.' *American Psychologist 59*, 4, 224–235.

Wolpe, J. (1958) *Psychotherapy by Reciprocal Inhibition*. Stanford, CA: Stanford University Press.

색인